RECETAS SABROSAS
Pasta

Tom Bridge

Copyright © 2003 de la edición española:
Parragon Books Ltd
Traducción del inglés: Montserrat Ribas
para Equipo de Edición, S.L., Barcelona
Redacción y maquetación:
Equipo de Edición, S.L., Barcelona

Impreso en China

ISBN-13: 978-1-40541-454-8
ISBN-10: 1-40541-454-5

Nota

Una cucharada equivale a 15 ml. Si no se indica otra cosa,
la leche será entera, los huevos, de tamaño medio (nº 3),
y la pimienta, pimienta negra molida.

Las recetas que llevan huevo crudo o muy poco cocido
no son indicadas para los niños muy pequeños,
los ancianos, las mujeres embarazadas, las personas
convalecientes y cualquiera que sufra alguna enfermedad.

Sumario

Introducción

La pasta ha existido desde los días del Imperio romano, y sigue siendo uno de los ingredientes más versátiles para cocinar: en ninguna despensa debería faltar. Se puede combinar con carne, pescado, verduras, fruta, o incluso con una sencilla salsa a las hierbas, para preparar en pocos minutos platos nutritivos que hacen las delicias de todos.

La mayor parte de la pasta se elabora con harina de trigo duro y contiene proteínas e hidratos de carbono. Es una buena fuente de energía que se va liberando lentamente en el organismo, y además ofrece una buena relación calidad precio. Existen muchos tipos de pasta, algunos de los cuales vienen citados en la página siguiente. Muchos de ellos se encuentran tanto secos como frescos. A menos que tenga acceso a una buena tienda de productos italianos, probablemente no merece la pena comprar pasta fresca sin rellenar, pero incluso en los supermercados se venden *tortellini*, *capelletti*, raviolis y *agnolotti* de gran calidad.

La mejor de todas es la pasta fresca hecha en casa. Se tarda un poco en elaborarla, pero es fácil y el esfuerzo merece la pena. Se puede amasar tanto a mano como en un robot de cocina. La pasta se puede enriquecer con el color y el sabor de otros ingredientes, que se suelen incorporar junto con el huevo batido:

Negra: añada 1 cucharadita de tinta de calamar o de sepia.

Verde: añada durante el amasado 115 g de espinacas cocidas bien escurridas.

Violeta: bata 1 remolacha grande cocida en la batidora, con 60 g de harina extra.

Roja: añada 2 cucharadas de pasta de tomate.

Para cocer la pasta, ponga a hervir en una cazuela grande agua ligeramente salada, y añada la pasta y 1 cucharada de aceite de oliva, pero no tape la cazuela porque el agua se derramaría. Cuando la pasta esté tierna, pero todavía firme (*al dente*), escúrrala y mézclela con mantequilla, aceite de oliva o la salsa que tenga preparada. Los siguientes tiempos de cocción son sólo a título indicativo:

Pasta fresca sin rellenar:	*2-3 minutos*
Pasta fresca rellena:	*8-10 minutos*
Pasta seca sin rellenar:	*10-12 minutos*
Pasta seca rellena:	*15-20 minutos*

MASA BÁSICA PARA PASTA

Si desea preparar su propia pasta para elaborar los platos de este libro, siga esta sencilla receta.

Para 4 personas

INGREDIENTES
450 g de harina de trigo duro
4 huevos ligeramente batidos
1 cucharada de aceite de oliva
sal

1 Enharine ligeramente la superficie de trabajo. Tamice la harina con una pizca de sal en un montoncito. Haga un hoyo en el centro y vierta el huevo y el aceite de oliva.

2 Con un tenedor o con los dedos, vaya trabajando la pasta hasta haber mezclado todos los ingredientes. Amase vigorosamente durante unos 10-15 minutos.

3 Deje reposar la masa 25 minutos, antes de extenderla con el rodillo lo más fina posible.

TIPOS DE PASTA

Existen hasta 200 tipos diferentes de pasta, y los nombres que reciben son casi tres veces más numerosos. Cada vez surgen nuevas formas –con sus nuevas denominaciones– y además el mismo tipo de pasta puede recibir un nombre distinto según la región de Italia.

anelli, anellini: *anillos o aros de pasta de sopa*

bucatini: *tubos largos y de grosor medio*

cannelloni: *canelones, tubos redondos de pasta*

capelli d'angelo: *hebras finas de cabello de ángel*

conchiglie: *conchas rizadas*

conchigliette: *conchillas*

cresti di gallo: *crestas de gallo, de forma curvada*

ditali, ditalini: *pistones*

eliche: *hélices o espirales menos retorcidas*

farfalle: *lazos*

fettuccine: *tallarines anchos*

fusilli: *espirales*

gemelli: *dos trozos unidos como "gemelos"*

lasagne: *lasaña*

linguine: *tallarines*

lumache: *caracoles*

lumachoni: *tiburones o caracoles grandes*

macaroni: *macarrones, tubos cortos o largos*

orecchiette: *literalmente, orejitas*

penne: *plumas*

rigatoni: *macarrones estriados*

spaghetti: *espaguetis*

tagliarini: *tallarines delgados*

tagliatelle: *tallarines*

vermicelli: *fideos finos, normalmente en madejas*

Canelones

Conchillas

Espirales

Conchas rizadas

Orecchiette tricolor

Rigatoni

Tiburones

Fettuccine

Espaguetis

Sopas y comidas ligeras

La pasta es tan versátil que sirve tanto para preparar sopas sustanciosas como para cocinar deliciosos e inusuales primeros platos o una cena ligera rápida y fácil de hacer. Las recetas de este capítulo abarcan desde tradicionales platos italianos, como la sopa minestrone y los espaguetis a la carbonara, hasta nuevas e imaginativas formas de utilizar la pasta, como en el caso de los pastelitos de panceta y pecorino con lacitos y la tortilla de pasta.

Las recetas para sopas incluyen sustanciosos platos invernales que, servidos con un poco de pan, constituyen una comida completa en sí mismos. Pruebe la sopa de alubias y pasta, por ejemplo. Otras, como la sopa de pollo con crema de limón, son sutiles y delicadas. Las recetas de tentempiés y platos ligeros ofrecen sugerencias para todos los gustos: salsas con verduras, queso, carne y pescado combinadas con todo tipo de pasta, desde espaguetis hasta lacitos. Pruebe los linguine con jamón ahumado si tiene prisa, o los riñones de ternera cremosos con plumas si desea algo diferente.

Minestrone

Para 8-10 personas

INGREDIENTES

3 dientes de ajo
3 cebollas grandes
2 tallos de apio
2 zanahorias grandes
2 patatas grandes
100 g de judías verdes finas
100 g de calabacines
60 g de mantequilla
50 ml de aceite de oliva

60 g de beicon graso sin la
  corteza y cortado en dados
  pequeños
1,5 litros de caldo de pollo o de
  verduras
100 g de tomates picados
2 cucharadas de pasta de tomate
1 manojo de albahaca fresca,
  finamente picada

100 g de corteza de queso
  parmesano
85 g de espaguetis, troceados
sal y pimienta
queso parmesano recién rallado,
  para servir

1 Pique el ajo, las cebollas, el apio, las zanahorias, las patatas, las judías y los calabacines.

2 Caliente el aceite y la mantequilla en una cazuela grande, y fría el beicon unos 2 minutos. Añada el ajo y la cebolla, y fría 2 minutos más. Luego incorpore el apio, las zanahorias y las patatas y déjelo al fuego 2 minutos.

3 Ponga las judías en la cazuela y fría 2 minutos. Añada los calabacines y deje otros 2 minutos. Tape la cazuela y deje cocer todas las verduras, removiendo con frecuencia, durante unos 15 minutos.

4 Agregue el caldo, los tomates, la pasta de tomate, la albahaca y la corteza de queso y salpimente al gusto. Espere a que hierva, luego baje la temperatura, y déjelo cocer a fuego lento durante 1 hora. Retire la corteza de queso de la sopa.

5 Añada los espaguetis troceados a la cazuela y deje cocer 20 minutos más. Sirva la sopa caliente en cuencos grandes, espolvoreada con el parmesano recién rallado.

Sopa italiana de crema de tomate

Para 4 personas

INGREDIENTES

60 g de mantequilla sin sal	225 g de espirales	hojas de albahaca fresca,
1 cebolla grande picada	1 cucharada de azúcar lustre	para adornar
900 g de tomates jugosos, sin	150 ml de nata líquida espesa	picatostes, para servir
piel y troceados	sal y pimienta	
600 ml de caldo de verduras		
una pizca de bicarbonato sódico		

1 Derrita la mantequilla en una cazuela y fría la cebolla hasta que se ablande. Añada los tomates picados junto con 300 ml de caldo vegetal y el bicarbonato. Llévelo a ebullición y después déjelo 20 minutos a fuego suave.

2 Retire la cazuela del fuego y deje que se enfríe. Haga un puré con la sopa en una batidora o picadora, y páselo por un colador de rejilla fina, vertiéndolo de nuevo en la cazuela.

3 Agregue el resto del caldo y las espirales a la cazuela, y salpimente al gusto.

4 Añada el azúcar, espere que vuelva a hervir y luego deje cocer a fuego suave 15 minutos.

5 Ponga la sopa en cuencos calientes, vierta un chorrito fino de nata líquida por encima y adorne con hojas de albahaca fresca. Sirva la sopa caliente acompañada con los picatostes.

VARIACIÓN

Para hacer una sopa de tomate y naranja, simplemente utilice la mitad de caldo vegetal y en su lugar añada zumo de naranja fresco; adorne la sopa con piel de naranja. Si prefiere una sopa de tomate y zanahoria, añada la mitad del caldo de verduras y la misma cantidad de zumo de zanahoria, agregue 175 g de zanahoria rallada, y fríala al mismo tiempo que la cebolla.

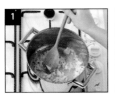

Sopa de patatas y perejil con pesto

Para 4 personas

INGREDIENTES

3 lonchas de beicon ahumado
    graso, sin corteza
450 g de patatas harinosas
450 g de cebollas
25 g de mantequilla
600 ml de caldo de pollo
600 ml de leche

100 g de conchillas
50 ml de nata líquida espesa
perejil fresco picado
queso parmesano rallado y
    pan de ajo, para servir

PESTO:
60 g de perejil fresco finamente
    picado
2 dientes de ajo chafados

60 g de piñones majados
2 cucharadas de hojas de
    albahaca fresca, picadas
60 g de queso parmesano rallado
pimienta blanca
150 ml de aceite de oliva

1 Para hacer el pesto, bata todos los ingredientes en una batidora o picadora durante 2 minutos, o hágalo a mano (véase sugerencia).

2 Pique el beicon y las cebollas, y corte en dados las patatas. Fría el beicon 4 minutos, añada la mantequilla, las patatas y la cebolla y rehogue durante 12 minutos.

3 Vierta el caldo y la leche, llévelo a ebullición y cuézalo a fuego lento 10 minutos. Añada la pasta y siga cociéndolo 12-14 minutos.

4 Vierta la nata líquida y cuézalo 5 minutos más. Añada 2 cucharadas de pesto y el perejil. Sirva la sopa en boles individuales, con el queso parmesano y el pan de ajo.

SUGERENCIA

Si prepara el pesto a mano, hágalo en el mortero. Maje bien el perejil con el ajo, los piñones y la albahaca hasta obtener una pasta suave, y a continuación añada el queso y la pimienta. Por último, vaya incorporando, poco a poco, el aceite.

Raviolis a la parmesana

Para 4 personas

INGREDIENTES

285 g de masa básica para pasta (véase pág. 4)
1,2 litros de caldo de ternera
queso parmesano rallado, para servir

RELLENO:
100 g de queso parmesano rallado
100 g de pan rallado fino
2 huevos

125 ml de salsa española (véase sugerencia)
1 cebolla pequeña picada fina
1 cucharadita de nuez moscada recién rallada

1 Prepare la masa básica para pasta. Con cuidado, extienda 2 láminas de pasta con el rodillo, y cúbralas con un paño de cocina humedecido mientras prepara el relleno.

2 Para preparar el relleno, mezcle en un cuenco grande el queso parmesano con el pan rallado, los huevos, la salsa española (véase sugerencia), la cebolla picada y la nuez moscada rallada.

3 Deposite el relleno con una cuchara sobre 1 lámina de pasta, a intervalos regulares. Cubra con la segunda lámina de pasta, recorte los cuadrados y selle los bordes.

4 Hierva el caldo de ternera en una cazuela grande y cueza en él los raviolis unos 15 minutos.

5 Vierta la sopa de raviolis en cuencos calientes. Sírvala caliente, con bastante queso parmesano por encima.

SUGERENCIA

Para la salsa española, rehogue 25 g de harina con 2 cucharadas de mantequilla derretida. Añada pasta de tomate, 250 ml de caldo de ternera caliente, 1 cucharada de vino de Madeira y un chorrito de vinagre. Trocee 25 g de beicon, zanahoria y cebolla, y 15 g de apio, puerro e hinojo. Saltéelo con aceite, con tomillo y una hoja de laurel. Escúrralo, añádalo a la salsa y cuézala a fuego lento 4 horas. Cuélela.

Sopa de fideos con huevo, guisantes y picatostes al parmesano

Para 4 personas

INGREDIENTES

3 lonchas de beicon ahumado
graso, sin corteza y cortadas
en tiras
1 cebolla grande picada
15 g de mantequilla

450 g de guisantes secos,
remojados en agua fría
2 horas y escurridos
2,3 litros de caldo de pollo
225 g de fideos al huevo
150 ml de nata líquida espesa
sal y pimienta

perejil fresco picado para adornar
picatostes al parmesano (véase
sugerencia), para servir

1 A fuego suave, sofría
el beicon, la cebolla
y la mantequilla en una
cazuela grande, durante
unos 6 minutos.

2 Añada los guisantes y el
caldo de pollo, y llévelo
a ebullición. Salpimente al
gusto, cubra y cuézalo a
fuego suave 1½ horas.

3 Incorpore los fideos
al huevo y cuézalo
durante otros 15 minutos.

4 Vierta la nata líquida
y remueva hasta que
esté bien mezclada. Sirva
la sopa caliente en cuencos,
adornada con el perejil y
los picatostes al parmesano
(véase sugerencia).

VARIACIÓN

*Utilice algún otro tipo de
legumbre, por ejemplo alubias
blancas, pintas o borlotti, en
lugar de guisantes.*

SUGERENCIA

*Para hacer los picatostes al
parmesano, corte una barra
de pan francés en rebanadas.
Úntelas con un poco de
aceite de oliva y espolvoree
con parmesano. Tuéstelas
bajo el grill 30 segundos.*

Sopa de alubias y pasta

Para 4 personas

INGREDIENTES

250 de alubias blancas, dejadas
   en remojo en agua fría
   3 horas y escurridas
4 cucharadas de aceite de oliva
2 cebollas grandes en rodajas
3 dientes de ajo picados
1 lata de 425 g de tomate
   triturado

1 cucharadita de orégano seco
1 cucharadita de pasta de tomate
850 ml de agua
90 g de espirales o conchillas
115 g de tomates secados al sol,
   escurridos y cortados en tiras
   finas

1 cucharada de cilantro o perejil
   fresco picado
sal y pimienta
2 cucharadas de virutas de
   parmesano, para servir

1 Ponga las alubias en una cazuela grande. Cúbralas con agua fría y llévelas a ebullición. Cuézalas a fuego vivo 15 minutos. Escúrralas y manténgalas calientes.

2 Fría la cebolla a fuego medio 2-3 minutos, hasta que se ablande. Añada el ajo y rehogue 1 minuto más. Incorpore el tomate triturado, el orégano y la pasta de tomate.

3 Agregue el agua y las alubias. Llévelo a ebullición, tape la cazuela y cuézalo a fuego lento unos 45 minutos, o hasta que las alubias estén casi tiernas.

4 Incorpore la pasta y salpimente al gusto. Añada los tomates secados al sol, vuelva a dejar que hierva, tápelo parcialmente y cuézalo a fuego suave 10 minutos, o hasta que la pasta esté *al dente*.

5 Añada las hierbas. Sirva la sopa en cuencos individuales, espolvoreada con el parmesano.

SUGERENCIA

Ponga las alubias en una cazuela con agua fría. Cuando hiervan, retírelas del fuego y deje que se enfríen en la misma agua. Escúrralas y enjuáguelas.

Sopa de pollo con garbanzos

Para 4 personas

INGREDIENTES

25 g de mantequilla

3 cebolletas picadas

2 dientes de ajo chafados

1 ramita de mejorana fresca, finamente picada

350 g de pechugas de pollo deshuesadas

1,2 litros de caldo de pollo

1 lata de 350 g de garbanzos

1 ramillete de hierbas

1 pimiento rojo, cortado en dados

1 pimiento verde, cortado en dados

115 g de alguna pasta pequeña, como coditos

sal y pimienta blanca

picatostes, para servir

1 Derrita la mantequilla en una cazuela grande. Añada las cebolletas, el ajo, la ramita de mejorana fresca y las pechugas de pollo cortadas en dados. Rehóguelo a fuego moderado durante 5 minutos, removiendo con frecuencia.

2 Agregue el caldo de pollo, los garbanzos y el manojo de hierbas. Salpimente al gusto.

3 Cuando la sopa hierva, baje la temperatura y cuézala unas 2 horas a fuego suave.

4 Añada los pimientos en dados y la pasta, y cuézalo durante otros 20 minutos.

5 Vierta la sopa en una sopera caliente. Sírvala bien caliente, en cuencos individuales, adornada con los picatostes.

SUGERENCIA

Si lo prefiere, puede utilizar garbanzos secos. Cúbralos con agua fría y déjelos en remojo 5-8 horas. Escúrralos y añádalos a la sopa, según indica la receta. Calcule un tiempo adicional de $^1/_2$–1 hora de cocción.

Sopa de pollo y crema de limón con espaguetis

Para 4 personas

INGREDIENTES

60 g de mantequilla
8 chalotes cortados en rodajitas
2 zanahorias cortadas en rodajitas
2 tallos de apio cortados en rodajitas

225 g de pechugas de pollo deshuesadas, picadas finas
3 limones
1,2 litros de caldo de pollo
225 de espaguetis troceados
150 ml de nata líquida espesa
sal y pimienta blanca

PARA DECORAR:
1 ramita de perejil fresco
3 rodajas de limón partidas por la mitad

1 Derrita la mantequilla en una cazuela grande. Añada los chalotes, la zanahoria, el apio y el pollo. Rehogue a fuego suave unos 8 minutos, removiendo de vez en cuando.

2 Corte la piel de los limones en tiras delgadas y escáldelas en agua hirviendo 3 minutos. Exprima el zumo de los limones.

3 Agregue la piel y el zumo de limón a la cazuela, junto con el caldo de pollo. Deje que hierva a fuego suave 40 minutos.

4 Añada los espaguetis y cuézalos 15 minutos. Salpimente y añada la nata líquida. Caliente bien la sopa, pero no deje que vuelva a hervir.

5 Viértala en una sopera o en boles individuales, adorne con el perejil y las medias rodajitas de limón, y sírvala inmediatamente.

SUGERENCIA

Puede preparar esta sopa con antelación hasta el final del paso 3, para que lo único que tenga que hacer antes de servirla sea calentarla bien antes de añadir la pasta y darle los últimos toques.

Sopa de pollo con maíz dulce

Para 4 personas

INGREDIENTES

450 g de pechugas de pollo
deshuesadas, cortadas en tiras
1,2 litros de caldo de pollo

150 ml de nata líquida espesa
100 g de fideos finos
1 cucharada de harina de maíz

3 cucharadas de leche
175 g de granos de maíz dulce
sal y pimienta

1 Ponga el pollo, el caldo y la nata líquida en una cazuela grande y llévelo a ebullición. Reduzca ligeramente la temperatura y cuézalo a fuego lento unos 20 minutos. Salpimente al gusto.

2 Mientras tanto, hierva los fideos en agua ligeramente salada unos 10-12 minutos, hasta que estén tiernos. Escurra la pasta y manténgala caliente.

3 Deslía la harina de maíz en la leche para hacer una pasta suave, e incorpórela en la sopa para espesarla.

4 Añada el maíz y los fideos a la cazuela, y caliéntelo bien.

5 Vierta la sopa en una sopera o en cuencos individuales calientes, y sírvala de inmediato.

SUGERENCIA

Si no tiene mucho tiempo, compre el pollo cocido, quítele la piel y córtelo en tiras finas.

VARIACIÓN

Si quiere hacer una sopa de cangrejo y maíz, sustituya las pechugas de pollo por 450 g de carne de cangrejo cocida. Desmenúcela antes de añadirla a la cazuela, y reduzca el tiempo de cocción 10 minutos. Si quiere una sopa al estilo chino, sustituya los fideos finos por fideos chinos al huevo y utilice maíz cremoso de lata.

Sopa de jamón y ternera al jerez

Para 4 personas

INGREDIENTES

60 g de mantequilla
1 cebolla cortada en dados
1 zanahoria cortada en dados
1 tallo de apio cortado en dados
450 g de carne de ternera
cortada en tiras muy
delgadas

450 g de jamón en dulce cortado
en tiras finas
60 g de harina
1 litro de caldo de buey
1 hoja de laurel
8 granos de pimienta negra
enteros

una pizca de sal
3 cucharadas de gelatina de
grosella
150 ml de jerez dulce
100 g de fideos finos
picatostes al ajo, para servir

1 Derrita la mantequilla en una cazuela grande. Fría la cebolla con la zanahoria, el apio, la ternera y el jamón, a fuego lento, durante 6 minutos.

2 Espolvoree con la harina y rehogue otros 2 minutos, removiendo. Añada el caldo, y después la hoja de laurel, la pimienta y la sal. Cuézala a fuego lento durante 1 hora.

3 Retírelo del fuego y añada la gelatina de

grosella y el jerez. Déjelo reposar unas 4 horas.

4 Retire la hoja de laurel de la cazuela y póngala a fuego suave, hasta que todos los ingredientes estén calientes.

5 Mientras tanto, en otra cazuela, hierva los fideos con agua salada unos 10-12 minutos. Póngalos en la sopa. Sírvala en cuencos individuales, con los picatostes al ajo (véase sugerencia).

SUGERENCIA

Para hacer picatostes al ajo, descortece 3 rebanadas de pan blanco del día anterior y córtelas en dados de 5 mm de lado. Caliente 3 cucharadas de aceite de oliva a fuego suave y saltee 1-2 dientes de ajo picados finos durante 1-2 minutos. Retire el ajo y ponga el pan. Fríalo hasta que esté dorado por todos los lados. Retírelo de la sartén y escúrralo sobre papel de cocina.

Caldo de ternera a la toscana

Para 4 personas

INGREDIENTES

60 g de guisantes secos, dejados en remojo 2 horas y escurridos	60 g de cebada lavada	1 cebolla roja, picada fina
900 g de carne de pescuezo de ternera, cortada en dados	1 zanahoria grande, cortada en dados	100 g de tomates picados
1,2 litros de caldo oscuro (véase sugerencia) o de buey	1 nabo pequeño (de unos 175 g), cortado en dados	1 ramita de albahaca fresca
600 ml de agua	1 puerro grande, cortado en rodajas finas	100 g de fideos finos
		sal y pimienta blanca

1 Ponga los guisantes, la ternera, el caldo y el agua en una cazuela grande y deje que hierva poco a poco. Con una espumadera, retire las impurezas que suban a la superficie del líquido.

2 Cuando las haya retirado todas, añada la cebada y una pizca de sal. Déjelo cocer a fuego suave unos 25 minutos.

3 Añada la zanahoria, el nabo, el puerro, la cebolla, el tomate y la albahaca, y salpimente al gusto. Cuézalo a fuego suave durante unas 2 horas, limpiando las impurezas de la superficie de vez en cuando. Retire la cazuela del fuego y deje reposar la sopa durante 2 horas.

4 Ponga la sopa a hervir a fuego moderado. Añada los fideos y cuézalos 12 minutos. Salpimente al gusto y retire la albahaca. Sirva la sopa caliente, en cuencos.

SUGERENCIA

El caldo oscuro se hace con huesos de ternera y jarrete de buey asados en su jugo, unos 40 minutos en el horno.

Pase los huesos a una cazuela, añada rodajas de puerro, cebolla, apio y zanahoria, un ramillete de hierbas, vinagre de vino blanco y tomillo. Cúbralo con agua y cuézalo a fuego muy lento durante unas 3 horas. Cuélelo y retire la grasa de la superficie.

Sopa de ternera y setas con fideos

Para 4 personas

INGREDIENTES

450 de ternera cortada en
   lonchitas finas

450 g de huesos de ternera

1,2 litros de agua

1 cebolla pequeña

6 granos de pimienta negra

1 cucharadita de clavos

una pizca de macis

140 g de setas silvestres
   troceadas

150 ml de nata líquida espesa

100 g de fideos finos

1 cucharada de harina de maíz

3 cucharadas de leche

sal y pimienta

1 Ponga a hervir la ternera y los huesos en una cazuela grande. Baje la temperatura, añada la cebolla, la pimienta, los clavos y el macis, y cuézalo a fuego lento 3 horas, hasta que el caldo se haya reducido un tercio.

2 Cuele el caldo, retire la grasa que pueda haber en la superficie con una espumadera, y viértalo en una cazuela limpia. Ponga la carne en la cazuela.

3 Incorpore las setas y la nata líquida, llévelo a ebullición a fuego lento, y cuézalo 12 minutos. Mientras tanto, hierva los fideos en agua ligeramente salada hasta que estén tiernos, pero no blandos. Escúrralos y manténgalos calientes.

4 Deslía la harina de maíz en la leche, y añada esta pasta a la sopa para que se espese. Salpimente al gusto y, justo antes de servir, añada los fideos. Vierta la sopa en una sopera caliente y sírvala inmediatamente.

SUGERENCIA

Puede preparar esta sopa con la carne de ternera más económica, por ejemplo con falda o cuello. Se trata de piezas magras, y la cocción prolongada garantiza que la carne quede muy tierna.

Sopa de patatas con mejillones

Para 4 personas

INGREDIENTES

750 g de mejillones

2 cucharadas de aceite de oliva

100 g de mantequilla sin sal

2 lonchas de beicon graso, sin
   corteza y picado

1 cebolla picada

2 dientes de ajo chafados

60 g de harina

450 g de patatas, cortadas en
   rodajitas

100 g de conchillas

300 ml de nata líquida espesa

1 cucharada de zumo de limón

2 yemas de huevo

sal y pimienta

PARA DECORAR:

2 cucharadas de perejil fresco
   picado

gajos de limón

1 Quite las barbas de los mejillones y frótelos bien bajo el chorro de agua fría durante 5 minutos. Deseche los que no se abran al golpearlos.

2 Ponga a hervir agua en una cazuela grande, añada los mejillones, con el aceite y un poco de pimienta, y cuézalos hasta que se abran.

3 Escurra los mejillones y reserve el líquido de cocción. Descarte los que no se hayan abierto. Retire los mejillones de sus valvas.

4 Derrita la mantequilla en una cazuela grande y fría el beicon, la cebolla y el ajo 4 minutos. Agregue la harina y 1,2 litros del líquido de cocción.

5 Incorpore las patatas y cuézalas a fuego suave 5 minutos. Añada las conchillas y deje hervir otros 10 minutos.

6 Agregue la nata líquida y el zumo de limón, salpimente al gusto y a continuación ponga los mejillones en la cazuela.

7 Bata las yemas con 1-2 cucharadas del líquido de cocción sobrante, viértalo en la cazuela, y cueza 4 minutos.

8 Sirva la sopa en cuencos individuales, adornada con el perejil picado y gajos de limón.

Sopa de pescado italiana

Para 4 personas

INGREDIENTES

60 g de mantequilla

450 g de filetes de pescado
variados, como salmonete
y cubera roja

450 g de marisco preparado, por
ejemplo calamar y gambas

225 g de carne fresca de cangrejo

1 cebolla grande en rodajas

25 g de harina

1,2 litros de caldo de pescado

100 g de pasta, como coditos
o pistones

1 cucharada de esencia de
anchoas

la ralladura y el zumo
de 1 naranja

50 ml de jerez seco

300 ml de nata líquida espesa

sal y pimienta negra

pan integral crujiente, para servir

1 Derrita la mantequilla
en una cazuela grande
y sofría los filetes de
pescado, el marisco,
la carne de cangrejo
y la cebolla a fuego suave
durante unos 6 minutos.

2 Incorpore la harina
y rehogue.

3 Poco a poco, añada
el caldo de pescado,
y llévelo a ebullición,
removiendo a menudo.

Reduzca la temperatura y
déjelo cocer 30 minutos.

4 Añada la pasta y cuézala
10 minutos.

5 Incorpore la esencia de
anchoas, la ralladura y
el zumo de naranja, el jerez
y la nata líquida, y
salpimente al gusto.

6 Caliente bien la sopa y
sírvala acompañada con
pan integral crujiente.

SUGERENCIA

*Se puede hacer caldo con la
cabeza, la cola y las espinas
de casi cualquier pescado
blanco. Cueza 30 minutos
a fuego lento 900 g de retales
de pescado, 150 ml de vino
blanco, 1 cebolla picada,
1 zanahoria y 1 tallo de apio
en rodajas, 4 granos de
pimienta negra, 1 ramillete
de hierbas, y 1¹/₄ litros de
agua. Cuélelo.*

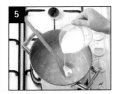

Espaguetis a la carbonara

Para 4 personas

INGREDIENTES

425 g de espaguetis	175 g de beicon sin corteza,	100 g de queso parmesano recién
2 cucharadas de aceite de oliva	cortado en tiras finas	rallado, y un poco más para
1 cebolla grande cortada en	175 g de champiñones cortados	servir (opcional)
rodajas finas	en láminas finas	sal y pimienta
2 dientes de ajo picados	300 ml de nata líquida espesa	ramitas de salvia fresca, para
25 g de mantequilla	3 huevos batidos	adornar

1 Caliente una fuente o un cuenco grande para servir. En una cazuela grande, lleve agua con sal a ebullición. Añada los espaguetis y 1 cucharada de aceite, y cuézalos hasta que estén *al dente*. Escúrralos, póngalos en la cazuela y manténgalos calientes.

2 Sofría una cebolla en una sartén a fuego medio, hasta que esté trasparente. Añada el ajo y el beicon, y rehogue hasta que esté crujiente. Póngalo todo en la fuente.

3 Saltee los champiñones en un sartén con mantequilla, 3-4 minutos, removiendo de vez en cuando. Añada la mezcla de beicon. Cúbralo y manténgalo caliente.

4 Mezcle la nata líquida con el huevo y el queso en un cuenco grande, y salpimente al gusto.

5 Con rapidez, ponga los espaguetis sobre el sofrito de beicon y champiñones, y vierta el huevo por encima. Con

2 tenedores, remueva los espaguetis para mezclarlos con su salsa. Adórnelos y sírvalos espolvoreados con algo más de parmesano rallado, si lo desea.

SUGERENCIA

La clave del éxito de esta receta es no cocer el huevo en exceso. Por eso es importante mantener los ingredientes bien calientes, para que el huevo se cueza, pero trabajar rápidamente para evitar que quede como un revuelto.

Linguine con jamón ahumado

Para 4 personas

INGREDIENTES

450 g de *linguine*

450 g de ramitos de brécol

150 ml de salsa de queso italiana
(véase sugerencia)

225 g de jamón ahumado italiano

sal y pimienta

pan italiano, para servir

1 En una cazuela grande, ponga a hervir agua ligeramente salada. Añada los *linguine* y los ramitos de brécol, y cuézalos durante 10 minutos, hasta que la pasta esté *al dente*.

2 Escurra bien los *linguine* y el brécol, resérvelos y manténgalos calientes.

3 Mientras tanto, prepare la salsa de queso italiana (véase sugerencia).

4 Corte el jamón ahumado en lonchas finas. Mezcle los *linguine*, el brécol y el jamón con la salsa de queso italiana y caliéntelo todo bien a fuego suave.

5 Ponga la pasta en una fuente caliente. Espolvoree con pimienta negra y sírvala con pan italiano.

SUGERENCIA

Existen muchos tipos de pan italiano que irían bien con este plato. La ciabatta o chapata se elabora con aceite de oliva y se encuentra tal cual o con ingredientes añadidos, como aceitunas o tomates secados al sol.

SUGERENCIA

Para la salsa de queso, derrita 2 cucharadas de mantequilla en una cazuela. Añada 25 g de harina y rehóguela a fuego lento hasta que se dore y espese. Agregue 300 ml de leche caliente, y cuézalo 15 minutos. Añada una pizca de nuez moscada y de tomillo, 2 cucharadas de vinagre de vino blanco, sal y pimienta, 3 cucharadas de nata líquida, 60 g de mozzarella rallada, 60 g de parmesano rallado, 1 cucharadita de mostaza inglesa y 2 cucharadas de nata agria.

Chorizo con setas y fideos picantes

Para 6 personas

INGREDIENTES

680 g de fideos finos
125 ml de aceite de oliva
2 dientes de ajo

125 g de chorizo cortado
en rodajas
225 g de setas silvestres
3 guindillas rojas frescas, picadas

2 cucharadas de queso
parmesano rallado
sal y pimienta
10 filetes de anchoa, para adornar

1 En una cazuela grande, ponga a hervir agua ligeramente salada. Añada los fideos y 1 cucharada de aceite, y cuézalos hasta que estén al dente. Escúrralos, póngalos en una fuente caliente y manténgalos calientes.

2 Mientras tanto, caliente el resto del aceite en una sartén y fría el ajo 1 minuto. Añada el chorizo y las setas y rehogue 4 minutos; añada las guindillas picadas y rehogue 1 minuto más.

3 Vierta el aderezo de chorizo y setas sobre los fideos y salpimente. Espolvoree con el queso parmesano rallado, adorne con los filetes de anchoa en forma de rejilla y sirva el plato muy caliente.

VARIACIÓN

Puede utilizar sardinas frescas en lugar de anchoas, pero antes de utilizarlas asegúrese de que estén bien limpias, y saque las vísceras y la espina central.

VARIACIÓN

Compre siempre las setas silvestres a un proveedor de confianza, y no las recoja usted mismo, a no ser que sea un experto. Muchas de las variedades silvestres que se cultivan son tan sabrosas como las de la montaña. Se pueden utilizar, por ejemplo, rebozuelos, níscalos o cèpes. Durante la cocción, algunas setas disminuyen de volumen más que otras, y tal vez habrá que ajustar la cantidad.

Pastelitos de panceta y pecorino con lacitos

Para 4 personas

INGREDIENTES

25 g de mantequilla, y un poco
    más para engrasar
100 g de panceta, sin la corteza
225 g de harina de fuerza
75 g de queso pecorino rallado

150 ml de leche, y un poco más
    para el glaseado
1 cucharada de ketchup
1 cucharadita de salsa
    Worcestershire
400 g de lacitos
1 cucharada de aceite de oliva

sal y pimienta negra
3 cucharadas de pesto (véase
    pág. 12) o de salsa de
    anchoas (opcional)
ensalada verde, para servir

1 Engrase una bandeja para el horno. Ase la panceta bajo el grill hasta que esté dorada, déjela enfriar y píquela bien fina.

2 Tamice la harina y una pizca de sal en un cuenco. Incorpore la mantequilla y mezcle con las manos. Añada la panceta y ⅓ del queso rallado.

3 Mezcle la leche con el ketchup y la salsa

Worcestershire, y viértalo sobre la masa de harina removiendo hasta que quede suave.

4 Extienda la masa con el rodillo sobre una superficie enharinada, en un redondel de 18 cm de diámetro. Píntelo con leche y córtelo en 8 triángulos.

5 Coloque los triángulos de masa sobre la bandeja preparada y espolvoree con

el resto del queso. Cuézalos 20 minutos en el horno precalentado a 200 °C.

6 En una cazuela grande, ponga a hervir agua ligeramente salada. Añada los lacitos y el aceite, y cueza la pasta hasta que esté *al dente*. Escúrrala y póngala en una fuente con los pastelitos de panceta y pecorino por encima. Sirva con la salsa de su elección y una ensalada verde.

Orecchiette con beicon y tomate

Para 4 personas

INGREDIENTES

900 g de tomates pequeños
y dulces
6 lonchas de beicon ahumado
sin corteza
60 g de mantequilla

1 cebolla picada
1 diente de ajo chafado
4 ramitas de orégano fresco
450 g de *orecchiette*
1 cucharada de aceite de oliva

sal y pimienta
queso pecorino rallado, para
servir
ramitas de albahaca fresca,
para decorar

1 Escalde los tomates
en agua hirviendo.
Escúrralos, quíteles la piel
y las semillas y píquelos no
muy pequeños. Corte el
beicon en trocitos.

2 Derrita la mantequilla
en una cazuela y dore
el beicon. Añada la cebolla
y el ajo, y sofría hasta que
se ablanden.

3 Agregue los tomates
y el orégano picado.
Salpimente al gusto.
Reduzca la temperatura
y rehóguelo durante unos
10-12 minutos.

4 Cueza la pasta en agua
hirviendo con una
cucharada de aceite durante
12 minutos, hasta que esté
al dente. Escúrrala y póngala
en una fuente. Vierta por
encima la salsa de beicon
y tomate, y remueva hasta
recubrir bien la pasta.

VARIACIÓN

*También podría utilizar
450 g de salchichas italianas
picantes. Quite la piel de las
salchichas y añádalas a la
cazuela en el paso 2 en
sustitución del beicon.*

SUGERENCIA

*Para un sabor genuinamente
italiano, utilice panceta en
lugar de beicon. La panceta
italiana tiene vetas de grasa
y añade mucho sabor a
numerosos platos
tradicionales. Se vende
ahumada y sin ahumar, y
se puede comprarla en
lonchas o en un solo trozo.
Puede adquirirla en algunos
supermercados y en todas las
tiendas de alimentación
italianas.*

Riñones de ternera cremosos con plumas y pesto

Para 4 personas

INGREDIENTES

75 g de mantequilla	una pizca de jengibre fresco	1 cucharada de aceite de oliva
12 riñones de ternera, limpios	2 cucharadas de jerez seco	sal y pimienta
y cortados en rodajitas	150 ml de nata líquida espesa	4 tostadas calientes cortadas
175 g de champiñones pequeños,	2 cucharadas de pesto (véase	en triángulos
cortados en láminas	pág. 12)	ramitas de perejil fresco, para
1 cucharadita de mostaza inglesa	400 g de plumas	adornar

1 Derrita la mantequilla en una sartén y fría los riñones 4 minutos. Páselos a una fuente para el horno y manténgalos calientes.

2 Fría los champiñones en la sartén durante 2 minutos.

3 Añada la mostaza y el jengibre recién rallado, y salpimente al gusto. Rehóguelo 2 minutos, y añada el jerez, la nata líquida y el pesto. Deje cocer otros 3 minutos, y a continuación vierta la salsa sobre los riñones. En el horno precalentado a 190 ºC, hornee los riñones durante 10 minutos.

4 Cueza las plumas en agua hirviendo ligeramente salada con una cucharada de aceite hasta que estén *al dente*. Escúrralas y póngalas en una fuente caliente.

5 Vierta sobre la pasta los riñones al pesto. Coloque los triángulos de pan tostado alrededor de los riñones, adorne con perejil fresco y sirva.

SUGERENCIA

Puede guardar el pesto en un recipiente hermético hasta 1 semana en la nevera, o, congelado (antes de añadir el parmesano), hasta 3 meses.

Berenjena adobada con linguine

Para 4 personas

INGREDIENTES

150 ml de caldo de verduras

150 ml de vinagre de vino blanco

2 cucharaditas de vinagre
   balsámico

3 cucharadas de aceite de oliva

1 ramita de orégano fresco

450 g de berenjena, pelada y
   cortada en rodajas finas

400 g de *linguine*

ADOBO:

2 cucharadas de aceite de oliva
   virgen extra

2 dientes de ajo chafados

2 cucharadas de orégano fresco
   picado

2 cucharadas de almendras
   tostadas, finamente picadas

2 cucharadas de pimiento rojo
   cortado en dados

2 cucharadas de zumo de lima

la ralladura y el zumo de 1 naranja

sal y pimienta

1 Ponga en una cazuela el caldo vegetal, el vinagre de vino y el balsámico, y déjelo hervir a fuego lento. Añada 2 cucharadas de aceite de oliva y la ramita de orégano, y déjelo cocer a fuego moderado 1 minuto.

2 Añada las rodajas de berenjena a la cazuela, retírela del fuego y déjelo reposar 10 minutos.

3 Mientras tanto, prepare el adobo. En un cuenco grande, mezcle el aceite de oliva con el ajo, el orégano fresco, la almendra picada, el pimiento, el zumo de lima, la ralladura y el zumo de naranja, la sal y la pimienta.

4 Retire la berenjena del caldo con una espumadera y escúrrala bien. Póngala en el adobo

y déjela macerar en la nevera durante 12 horas.

5 En una cazuela, ponga a hervir agua con una pizca de sal. Añada la mitad del aceite restante y los *linguine*, y cuézalos hasta que estén tiernos. Escurra la pasta y mézclela con el resto del aceite. Sírvala en una fuente, con las rodajas de berenjena y el adobo.

Tiburones con espinacas y ricotta

Para 4 personas

INGREDIENTES

400 g de tiburones estriados grandes	300 g de espinacas congeladas, descongeladas y escurridas	1 lata de 400 g de tomate triturado, escurrido
5 cucharadas de aceite de oliva	225 g de queso ricotta	1 diente de ajo chafado
60 g de pan rallado	una pizca de nuez moscada recién rallada	sal y pimienta
125 ml de leche		

1 En una cazuela, ponga a hervir agua con una pizca de sal. Añada los tiburones y 1 cucharada de aceite de oliva y cuézalos hasta que estén *al dente*. Escurra la pasta, pásela bajo el chorro de agua fría y resérvela.

2 Ponga el pan rallado, la leche y 3 cucharadas de aceite en una batidora y mézclelo todo bien.

3 Añada las espinacas y el ricotta a la batidora y triture hasta formar una pasta suave. Pásela a un cuenco, agregue la nuez moscada y salpimente al gusto.

4 Mezcle el tomate triturado con el ajo y el resto del aceite, y póngalo en la base de una fuente para el horno.

5 Con una cucharita, vaya rellenando los tiburones con la pasta de espinacas y ricotta, y colóquelos en la fuente sobre la salsa de tomate. Cubra y cuézalo en el horno precalentado a 180 ºC durante unos 20 minutos. Sirva el plato caliente.

SUGERENCIA

El ricotta es un queso italiano muy cremoso elaborado tradicionalmente con suero de leche de oveja. Suave y de color blanco, tiene una textura lisa y un sabor algo dulzón. Debería consumirse en 2-3 días.

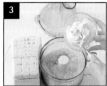

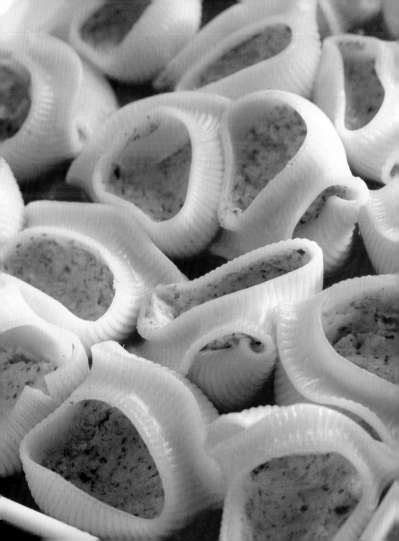

Ruedas con salsa picante italiana

Para 4 personas

INGREDIENTES

200 ml de salsa italiana de vino
tinto (véase sugerencia)
5 cucharadas de aceite de oliva

3 dientes de ajo chafados
2 guindillas rojas frescas, picadas
1 guindilla verde, picada

400 g de ruedas
sal y pimienta
pan italiano caliente, para servir

1 Prepare la salsa italiana de vino tinto (véase sugerencia).

2 Caliente 4 cucharadas de aceite en una cazuela y sofría el ajo y las guindillas 3 minutos.

3 Agregue la salsa italiana de vino tinto, salpimente al gusto y cuézalo a fuego suave unos 20 minutos.

4 Cueza las ruedas en agua hirviendo con una pizca de sal y el aceite restante durante 8 minutos, hasta que estén al dente.

5 Mezcle la pasta con la salsa picante, pásela a una fuente caliente y sírvala inmediatamente.

SUGERENCIA

Vaya con cuidado al manipular guindillas frescas, porque pueden irritar la piel. Tóquelas lo menos posible, a ser posible con guantes de goma. Lávese las manos después de manipularlas, y no se toque la cara ni los ojos antes de haberlo hecho. Retire las semillas antes de picar las guindillas, porque son la parte más picante.

SUGERENCIA

Para preparar la salsa italiana de vino tinto, haga una salsa con 150 ml de caldo oscuro (pág. 28) y salsa española (pág. 14); cuézala durante 10 minutos y cuélala. Aparte, mezcle 125 ml de vino tinto con 2 cucharadas de vinagre de vino tinto, 4 cucharadas de chalotes picados, 1 hoja de laurel y tomillo. Hiérvalo hasta que se consuma un tercio del líquido, Agregue la salsa, cuézalo 20 minutos, salpimente y cuele.

Timballini tricolor

Para 4 personas

INGREDIENTES

15 g de mantequilla blanda
60 g de pan rallado
175 g de espaguetis tricolor,
   en trozos de 5 cm
3 cucharadas de aceite de oliva

1 yema de huevo
125 g de queso gruyère rallado
300 ml de salsa bechamel
   (pág. 166)
1 cebolla finamente picada
1 hoja de laurel
150 ml de vino blanco seco

150 ml de *passata* (preparación
   italiana de tomate triturado)
1 cucharada de pasta de tomate
sal y pimienta
hojas de albahaca fresca, para
   adornar

1 Unte con mantequilla 4 tarrinas hondas de 180 ml de capacidad. Espolvoree dentro de las tarrinas, de forma homogénea, la mitad del pan rallado.

2 En una cazuela, ponga a hervir abundante agua salada. Añada los espaguetis y 1 cucharada de aceite, y cuézalos hasta que estén *al dente*. Escurra la pasta y pásela a un cuenco grande.

3 Agregue la yema de huevo y el queso. Salpimente. Mézclelo con la bechamel y llene las tarrinas. Espolvoree con el resto del pan rallado.

4 Coloque las tarrinas en una bandeja metálica y hornee durante 20 minutos en el horno precalentado a 220 ºC. Déjelo reposar 10 minutos.

5 Para hacer la salsa caliente, ponga el resto

del aceite en una sartén y sofría la cebolla y la hoja de laurel 2-3 minutos.

6 Agregue el vino, la *passata* y la pasta de tomate. Salpimente y déjelo 20 minutos a fuego suave, hasta que se espese. Deseche la hoja de laurel.

7 Desmolde los *timballini* y sírvalos en platos individuales, adornados con las hojas de albahaca y con la salsa de tomate.

Tallarines con gorgonzola

Para 4 personas

INGREDIENTES

25 g de mantequilla

225 g de queso gorgonzola,
    desmenuzado grueso

150 ml de nata líquida espesa

30 ml de vino blanco seco

1 cucharadita de harina de maíz

4 ramitas de salvia fresca,
    finamente picada

400 g de tallarines

2 cucharadas de aceite de oliva

sal y pimienta blanca

ramitas de hierbas frescas,
    para adornar

1 Derrita la mantequilla en una cazuela de base gruesa, añada 175 g de gorgonzola y caliéntelo a fuego lento 2 minutos, para que se funda.

2 Agregue la nata líquida, el vino y la harina de maíz, y bata con un batidor manual hasta que todo se haya mezclado.

3 Añada la salvia y salpimente al gusto. Hierva la salsa a fuego lento, sin dejar de batir, hasta que se espese. Retírela del fuego y resérvela.

4 En una cazuela grande, ponga a hervir agua salada. Añada los tallarines y 1 cucharada del aceite de oliva. Cueza la pasta 12-14 minutos, hasta que esté tierna, escúrrala bien y añada el resto del aceite. Pase la pasta a una fuente y manténgala caliente.

5 Vuelva a calentar la salsa de gorgonzola a fuego lento, sin dejar de batir. Viértala con un cucharón sobre los tallarines, espolvoree con el resto del queso, adorne con hierbas frescas y sirva.

SUGERENCIA

El gorgonzola es uno de los quesos veteados más antiguos del mundo. Compruebe que tenga un color amarillo cremoso, con delicadas vetas verdes, y un aroma intenso y penetrante, pero no amargo. Evite el queso duro u oscuro. Si el gorgonzola que encuentra es demasiado fuerte, puede sustituirlo por queso azul danés.

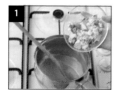

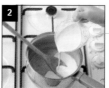

Ñoquis a la piamontesa

Para 4 personas

INGREDIENTES

450 g de puré de patata caliente	2 yemas de huevo	SALSA
75 g de harina de fuerza	1 cucharada de aceite de oliva	60 g de mantequilla
1 huevo	150 ml de salsa española (véase pág. 14)	175 g de queso parmesano rallado
		sal y pimienta
		hierbas frescas, para adornar

1 En un cuenco, mezcle el puré de patata con la harina. Añada el huevo y las yemas, salpimente bien y remueva hasta formar una pasta.

2 Pellizque trozos de pasta y moldéelos con las manos para formar bolitas del tamaño de una nuez. Aplástelas con un tenedor en forma de pequeños óvalos.

3 En una cazuela, ponga a hervir agua salada. Añada los ñoquis y el aceite, y escalfe 10 minutos.

4 Mezcle la salsa española y la mantequilla en una cazuela, y caliéntelo a fuego lento. Gradualmente, incorpore el parmesano rallado.

5 Retire los ñoquis de la cazuela y mézclelos con la salsa. Sírvalos en platos individuales, adornados con las hierbas.

SUGERENCIA

Esta receta constituye un plato único si se acompaña con una refrescante ensalada.

VARIACIÓN

Estos ñoquis también quedarían deliciosos con una salsa de tomate, al estilo trentino. En un cazo, mezcle 115 g de tomates secados al sol picados, 1 tallo de apio cortado en rodajitas, 1 diente de ajo chafado y 6 cucharadas de vino tinto. Cuézalo a fuego lento 15-20 minutos. Añada 8 tomates jugosos pelados y picados, salpimente al gusto y rehogue a fuego suave otros 10 minutos.

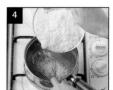

Tortilla de pasta

Para 2 personas

INGREDIENTES

4 cucharadas de aceite de oliva	4 huevos	sal y pimienta
1 cebolla pequeña picada	1 cucharada de perejil fresco picado	ramitas de mejorana fresca,
1 bulbo de hinojo cortado	una pizca de guindilla molida	para adornar
en rodajas finas	100 g de pasta pequeña cocida	ensalada de tomate, para
125 g de patatas cortadas en dados	2 cucharadas de aceitunas verdes	acompañar
1 diente de ajo picado	rellenas, partidas por la mitad	

1 Caliente la mitad del aceite en una sartén y fría la cebolla, el hinojo y las patatas, removiendo, unos 8-10 minutos, hasta que las patatas estén tiernas.

2 Añada el ajo y fría 1 minuto más. Retire la sartén del fuego, pase las verduras a un plato y reserve.

3 Bata los huevos hasta que estén espumosos. Añada el perejil y sazone con sal, pimienta y una pizca de guindilla molida.

4 Caliente 1 cucharada del resto del aceite en una sartén limpia. Ponga la mitad del huevo batido en la sartén, añada las verduras cocidas, la pasta y la mitad de las aceitunas. Vierta por encima el resto del huevo y cueza la tortilla hasta que los bordes empiecen a cuajar.

5 Desprenda los bordes de la tortilla con una espátula, para que el huevo líquido se extienda por la parte inferior. Cueza hasta que esté dorada por debajo.

6 Deslice la tortilla sobre un plato. Limpie la sartén con papel de cocina y caliente el resto del aceite. Déle la vuelta a la tortilla sobre la sartén, y cuézala hasta que el otro lado esté dorado.

7 Deslice la tortilla sobre una fuente caliente y adórnela con el resto de las aceitunas y las ramitas de mejorana fresca. Córtela en porciones triangulares y sírvala acompañada de una ensalada de tomate.

Espaguetis con ricotta

Para 4 personas

INGREDIENTES

350 g de espaguetis
3 cucharadas de aceite de oliva
40 g de mantequilla
2 cucharadas de perejil fresco
   picado
125 g de almendras molidas

125 g de queso ricotta
una pizca de nuez moscada
   rallada
una pizca de canela en polvo
150 ml de nata fresca espesa
   (o yogur natural sin azúcar)

125 ml de caldo de pollo caliente
1 cucharada de piñones
sal y pimienta
ramitas de perejil fresco,
   para adornar

1 En una cazuela grande, ponga a hervir agua ligeramente salada. Añada los espaguetis y 1 cucharada de aceite, y cueza la pasta hasta que esté *al dente*.

2 Escúrrala, vuelva a ponerla en la cazuela y mézclela con la mantequilla y el perejil picado. Resérvela y manténgala caliente.

3 Para hacer la salsa, mezcle las almendras molidas con el ricotta, la nuez moscada, la canela y la nata fresca o el yogur, a fuego lento, hasta formar una pasta espesa. Agregue el resto del aceite y, gradualmente, vaya incorporando el caldo de pollo caliente, hasta que la salsa quede suave. Salpimente al gusto.

4 Pase los espaguetis a una fuente caliente, vierta la salsa por encima y mezcle (véase sugerencia). Adorne con los piñones, las ramitas de perejil y sirva.

SUGERENCIA

La pasta alargada, como los espaguetis, se debe remover con 2 tenedores grandes. Encontrará tenedores especiales para espaguetis en la sección de cocina de algunos grandes almacenes y en tiendas especializadas. Sujetando un tenedor con cada mano, pase con cuidado las púas bajo la pasta y levántela hacia el centro del plato. Repita hasta que haya quedado bien recubierta.

Ñoquis a la romana

Para 4 personas

INGREDIENTES

700 ml de leche

una pizca de nuez moscada
recién molida

90 g de mantequilla, y un poco
más para engrasar

250 ml de sémola

125 g de queso parmesano
rallado

2 huevos batidos

60 g de queso gruyère rallado

sal y pimienta

ramitas de albahaca fresca,
para adornar

1 Hierva la leche en un cazo. Retírela del fuego y añada la nuez moscada, 25 g de mantequilla, sal y pimienta al gusto.

2 Incorpore la sémola en la leche, batiendo para evitar que se formen grumos. Déjelo cocer a baja temperatura 10 minutos, sin dejar de remover, hasta obtener una pasta muy espesa.

3 Añada 60 g de parmesano y bata bien. A continuación, agregue el huevo. Siga batiendo hasta que la pasta esté suave. Déjela reposar unos minutos, para que se enfríe un poco.

4 Extienda la pasta de sémola en una capa uniforme, de un grosor de 1 cm, sobre una lámina de papel vegetal o una bandeja para el horno grande y engrasada. Deje que se enfríe y después guárdela 1 hora en la nevera.

5 Cuando esté bien fría, recorte redondeles de 4 cm con un cortapastas engrasado.

6 Engrase una fuente para el horno llana y extienda una capa de ñoquis sobre la base. Cúbrala con otra capa, solapándolos.

7 Derrita el resto de la mantequilla y viértala sobre los ñoquis. Esparza por encima, primero el parmesano, y después el gruyère. Cueza los ñoquis unos 25-30 minutos en el horno precalentado a 200 ºC, hasta que la parte superior esté crujiente y dorada. Adorne con las hojas de albahaca y sirva.

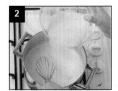

Pasta al horno a los tres quesos

Para 4 personas

INGREDIENTES

mantequilla, para engrasar	4 ramitas de albahaca fresca	sal y pimienta negra
400 g de plumas	100 g de mozarella o haloumi	hojas de albahaca fresca
1 cucharada de aceite de oliva	rallado	(opcional), para adornar
2 huevos batidos	4 cucharadas de parmesano	
350 g de queso ricotta	rallado	

1 Engrase ligeramente una fuente para el horno.

2 En una cazuela grande, ponga a hervir agua ligeramente salada. Añada las plumas y el aceite de oliva, y cueza la pasta hasta que esté *al dente*. Escúrrala y resérvela, manteniéndola caliente.

3 Bata los huevos con el ricotta y sazone al gusto con sal y pimienta.

4 Extienda la mitad de las plumas sobre la base de la fuente y esparza la mitad de las hojas de albahaca.

5 Vierta por encima la mitad de la mezcla de ricotta. Espolvoree con la mozzarella o el haloumi y remate con el resto de las hojas de albahaca. Cubra con otra capa de plumas y luego con la mezcla de ricotta restante. Espolvoree ligeramente con el parmesano rallado.

6 Cueza la pasta durante unos 30-40 minutos en el horno precalentado a 190 ºC , hasta que esté bien caliente, y la cobertura de queso, dorada y burbujeante. Adorne con hojas de albahaca fresca, si lo desea, y sírvalo caliente.

VARIACIÓN

Pruebe sustituir la mozzarella o el haloumi por queso ahumado de Baviera y el parmesano, por cheddar, para obtener un sabor ligeramente distinto pero también delicioso.

Rigatoni al horno rellenos de atún y ricotta

Para 4 personas

INGREDIENTES

mantequilla, para engrasar
450 g de *rigatoni*
1 cucharada de aceite de oliva
1 lata de 200 g de atún, escurrido y desmenuzado

225 g de queso ricotta
125 ml de nata líquida espesa
225 g de queso parmesano rallado

125 g de tomates secados al sol, escurridos y cortados en tiras finas
sal y pimienta

1 Engrase ligeramente una fuente para el horno.

2 En una cazuela grande, ponga a hervir agua ligeramente salada. Añada los *rigatoni* y el aceite, y cueza la pasta hasta que esté *al dente*. Escúrrala y espere a que se enfríe para poder manejarla.

3 En un cuenco, mezcle el atún y el ricotta hasta formar una pasta suave. Con una cuchara, introduzca la mezcla en una manga pastelera y rellene los *rigatoni*. Coloque los tubos de pasta rellenos uno junto al otro sobre la fuente preparada.

4 Para hacer la salsa, mezcle la nata líquida con el parmesano y salpimente. Vierta la salsa sobre los *rigatoni* y disponga por encima las tiras de tomate en forma de rejilla. Cueza la pasta 20 minutos en el horno precalentado a 200 °C. Sírvala caliente, directamente de la fuente.

VARIACIÓN

Para una versión vegetariana de esta receta, simplemente sustituya el atún por una mezcla de aceitunas negras, deshuesadas y picadas, y nueces picadas. Siga exactamente el mismo método de cocción.

Espaguetis con anchoas y pesto

Para 4 personas

INGREDIENTES

90 ml de aceite de oliva

2 dientes de ajo chafados

1 lata de 60 g de filetes de
   anchoa, escurridos

450 g de espaguetis

60 g de pesto (véase pág. 12)

2 cucharadas de orégano fresco,
   picado muy fino

90 g de queso parmesano rallado,
   y un poco más para servir
   (opcional)

sal y pimienta

2 ramitas de orégano fresco,
   para adornar

1 Caliente 1 cucharada de aceite en una sartén, y fría el ajo 3 minutos.

2 Añada las anchoas y rehóguelas, sin dejar de remover, hasta que se hayan deshecho por completo.

3 En una cazuela grande, ponga a hervir agua ligeramente salada. Añada los espaguetis y el resto del aceite de oliva, y cueza la pasta hasta que esté al dente.

4 Añada el pesto y el orégano fresco picado a la mezcla de anchoas, y después sazone al gusto con sal y pimienta.

5 Con una espumadera, escurra los espaguetis, y páselos a una fuente caliente. Vierta la salsa por encima de la pasta y espolvoree con el parmesano rallado. Adorne con ramitas de orégano y, si lo desea, sirva la pasta con un poco más de queso rallado.

VARIACIÓN

Para una versión vegetariana de esta receta, sustituya las anchoas por tomates secados al sol escurridos.

SUGERENCIA

Si las anchoas de lata le parecen demasiado saladas, déjelas en remojo con leche fría 5 minutos, escúrralas y séquelas con papel de cocina antes de utilizarlas.

Fettuccine con anchoas y espinacas

Para 4 personas

INGREDIENTES

900 g de hojas de espinaca tiernas	6 cucharadas de aceite de oliva	8 filetes de anchoa de lata, escurridos y picados
400 g de *fettuccine*	3 cucharadas de piñones	sal
	3 dientes de ajo chafados	

1 Recorte los tallos duros de las espinacas. Lave las hojas con agua fría y póngalas en una cazuela grande con sólo el agua que pueda quedar en las hojas después de lavarlas. Tape la cazuela y póngala al fuego vivo. Remueva de vez en cuando, hasta que las espinacas estén blandas pero sin perder el color. Escúrralas bien, resérvelas y manténgalas calientes.

2 En una cazuela grande, ponga a hervir agua ligeramente salada. Añada los *fettuccine* y 1 cucharada de aceite, y cueza la pasta durante 2-3 minutos, hasta que esté *al dente*.

3 Caliente 4 cucharadas de aceite en una cazuela y fría los piñones hasta que estén dorados. Retírelos y resérvelos.

4 En la cazuela, dore el ajo. Añada las anchoas y, a continuación, las espinacas. Rehogue durante 2-3 minutos, removiendo a menudo, hasta que todo esté bien caliente. Vuelva a poner los piñones en la cazuela.

5 Escurra los *fettuccine*, mézclelos con el resto del aceite de oliva y páselos a una fuente caliente. Vierta por encima de la pasta la salsa de anchoas y espinacas, remueva un poco y sírvala muy caliente.

SUGERENCIA

Si utiliza espinacas congeladas, descongélelas y escúrralas bien, eliminando el máximo líquido posible. Córtelas en tiras y añádalas junto con las anchoas, en el paso 4.

Plumas con mejillones fritos

Para 4-6 personas

INGREDIENTES

400 g de plumas	90 g de harina	sal y pimienta
125 ml de aceite de oliva	100 g de tomates secados al sol,	
450 g de mejillones, cocidos	cortados en tiras finas	PARA DECORAR:
y sin las valvas	2 cucharadas de hojas de	1 limón cortado en rodajitas finas
1 cucharadita de sal marina	albahaca fresca, picadas	hojas de albahaca fresca

1 En una cazuela grande, ponga a hervir agua ligeramente salada. Añada las plumas y 1 cucharada de aceite, y cueza la pasta hasta que esté *al dente*.

2 Escurra la pasta y póngala en una fuente previamente calentada. Resérvela y manténgala caliente.

3 Espolvoree los mejillones con la sal marina. Ponga la harina en un plato y sazone con sal y pimienta. Reboce con ella los mejillones.

4 Caliente el resto del aceite en una sartén, y fría los mejillones hasta que estén dorados, removiendo.

5 Mezcle los mejillones con las plumas y extienda por encima las tiras de tomate. Adorne con las rodajas de limón y las hojas de albahaca; sírvalo caliente.

VARIACIÓN

Si lo prefiere, sustituya los mejillones por almejas. Si son frescas, utilice una variedad de tamaño pequeño.

SUGERENCIA

Los tomates secados al sol se han utilizado en los países mediterráneos desde tiempo inmemorial. Primero se dejan secar al sol, y luego se envasan en aceite. Tienen un sabor concentrado, parecido al de los tomates asados, y una textura densa. Para consumirlos, se deben escurrir bien, y picar o cortar en tiras finas.

Carnes rojas y blancas

La pasta con carne es una combinación clásica. Los platos de este capítulo abarcan desde económicas cenas de entre semana hasta sofisticadas y elegantes comidas para ocasiones especiales. Las recetas de este capítulo incluyen muchos de los platos preferidos de toda la familia, como los espaguetis a la boloñesa, la lasaña verde y los canelones de espinacas. También hay algunas estimulantes variaciones de platos tradicionales, como los espaguetis a la siciliana, la pasta al horno con carne, y el cerdo salteado con pasta y verduras. Por último, encontrará una estupenda colección de recetas originales que le harán la boca agua. ¿Por qué no probar unos fettuccine con ternera y pomelo rosado a la salsa de mantequilla y pétalos de rosa; unos orecchioni con cerdo en salsa cremosa, adornados con huevos de codorniz, o la perdiz al horno con rigatoni y pesto? Se sorprenderá de lo rápidos y fáciles de preparar que son estos platos, dignos de un gourmet.

Espaguetis a la boloñesa

Para 4 personas

INGREDIENTES

3 cucharadas de aceite de oliva	85 g de higaditos de pollo, picados	1 cucharada de hojas de albahaca fresca, picadas
2 dientes de ajo chafados	100 g de jamón curado magro, cortado en dados	2 cucharadas de pasta de tomate
1 cebolla grande finamente picada	150 ml de vino de Marsala	sal y pimienta
1 zanahoria cortada en dados	1 lata de 285 g de tomate triturado	450 g de espaguetis
225 g de carne picada de buey, ternera o pollo		

1 Caliente 2 cucharadas de aceite de oliva en una cazuela grande, y fría el ajo, la cebolla y la zanahoria durante 6 minutos.

2 Incorpore la carne picada, los higaditos de pollo y el jamón curado, y rehogue a fuego moderado unos 12 minutos, hasta que todo esté bien dorado.

3 Agregue el vino de Marsala, el tomate, la albahaca y la pasta de tomate, y cuézalo

4 minutos. Salpimente al gusto. Tape la cazuela y cuézalo a fuego suave durante unos 30 minutos.

4 Destape la cazuela, remueva y déjelo a fuego suave 15 minutos.

5 Mientras tanto, en una cazuela grande, ponga a hervir agua ligeramente salada. Añada los espaguetis y el resto del aceite, y cueza la pasta durante 12 minutos, hasta que esté al dente. Escurra los espaguetis y

páselos a una fuente de servir. Vierta la salsa por encima y sírvalos, muy calientes.

VARIACIÓN

Los higadillos de pollo son un ingrediente esencial de la clásica salsa boloñesa, a la que aportan mucho sabor. Si aun así prefiere no utilizarlos, puede sustituirlos por la misma cantidad de carne de buey picada.

Tiras de solomillo cremoso con rigatoni

Para 4 personas

INGREDIENTES

75 g de mantequilla

450 g de solomillo de buey, sin
   grasa y cortado en tiras finas

175 g de champiñones pequeños,
   cortados en láminas

1 cucharadita de mostaza

una pizca de jengibre fresco
   recién rallado

2 cucharadas de jerez seco

150 ml de nata líquida espesa

sal y pimienta

4 tostadas calientes, cortadas
   en triángulos, para servir

PASTA:

450 g de *rigatoni*

2 cucharadas de aceite de oliva

2 ramitas de albahaca fresca

155 g de mantequilla

1 Derrita la mantequilla en una sartén y fría la carne a fuego suave durante 6 minutos. Pásela a una fuente para el horno y manténgala caliente.

2 Con el jugo que quede en la sartén, rehogue los champiñones durante 2-3 minutos. Agregue la mostaza, el jengibre, la sal y la pimienta. Cuézalo unos 2 minutos, y a continuación añada el jerez y la nata líquida. Deje la salsa al fuego 3 minutos más, y después viértala sobre la carne.

3 Cueza la mezcla de carne y salsa durante unos 10 minutos en el horno precalentado a 190 ºC.

4 En una cazuela grande, ponga a hervir agua ligeramente salada. Añada los *rigatoni*, el aceite y 1 ramita de albahaca, y hierva la pasta durante 10 minutos. Escúrrala y pásela a una fuente caliente. Mezcle los *rigatoni* con la mantequilla y adórnelos con otra hoja de albahaca.

5 Sirva la carne con la pasta y los triángulos de tostada calientes.

Espaguetis frescos con albóndigas italianas en salsa de tomate

Para 4 personas

INGREDIENTES

150 g de pan rallado integral
150 ml de leche
25 g de mantequilla
25 g de harina integral
200 ml de caldo de buey
1 lata de 400 g de tomate
   triturado
2 cucharadas de pasta de tomate

1 cucharadita de azúcar
1 cucharada de estragón fresco,
   finamente picado
1 cebolla grande picada
450 g de carne picada
1 cucharadita de pimentón

4 cucharadas de aceite de oliva
450 g de espaguetis frescos
sal y pimienta
ramitas de estragón fresco,
   para adornar

1 En un bol, deje el pan rallado en remojo con leche durante 30 minutos.

2 Derrita la mitad de la mantequilla en una cazuela. Añada la harina y remueva unos 2 minutos. Vierta despacio el caldo de carne y cueza, removiendo, otros 5 minutos. Incorpore el tomate, la pasta de tomate, el azúcar y el estragón. Salpimente y déjelo hervir a fuego suave durante 25 minutos.

3 Mezcle la cebolla, la carne picada y el pimentón con el pan rallado, y salpimente. Forme 14 albóndigas.

4 Dore las albóndigas con el aceite y el resto de la mantequilla. Póngalas en una cazuela refractaria, vierta por encima la salsa de tomate, tápelo y cuézalo en el horno, precalentado a 180 °C, durante unos 25 minutos.

5 Hierva los espaguetis 2-3 minutos, hasta que estén al dente.

6 Deje enfriar las albóndigas 3 minutos. Sírvalas, con su salsa, sobre los espaguetis, y adorne con ramitas de estragón.

Pastel de carne

Para 4 personas

INGREDIENTES

25 g de mantequilla, y un poco
más para engrasar
1 cebolla pequeña, finamente
picada
1 pimiento rojo pequeño, sin la
pulpa blanca ni semillas y
picado
1 diente de ajo picado
450 g de carne de buey picada

25 g de pan rallado
½ cucharadita de cayena
molida
1 cucharada de zumo de limón
½ cucharadita de ralladura de
limón
2 cucharadas de perejil fresco
picado

90 g de pasta seca de alguna
variedad corta, como espirales
1 cucharada de aceite de oliva
250 ml de salsa de queso italiana
(véase pág. 38)
4 hojas de laurel
175 g de beicon graso, sin corteza
sal y pimienta
ensalada verde, para adornar

1 Precaliente el horno
a 180 ºC. Derrita la
mantequilla en una cazuela,
y rehogue la cebolla y el
pimiento 3 minutos. Añada
el ajo y fría 1 minuto más.

2 Aplaste la carne con
una cuchara de madera
hasta hacer una pasta.
Añada el sofrito de cebolla,
el pan rallado, la cayena,
el zumo y la ralladura de
limón, el perejil, la sal
y la pimienta.

3 Ponga a hervir agua
salada en una cazuela y
cueza la pasta 8-10 minutos.
Escúrrala y mézclela con la
salsa de queso italiana.

4 Engrase 1 molde
alargado de 1 litro
de capacidad y coloque las
hojas de laurel en la base.
Forre la base y los lados del
molde con las lonchas de
beicon. Con una cuchara,
deposite la mitad de la carne
y alise la superficie. Cubra

con la pasta mezclada con
la salsa de queso y, en otra
capa, el resto de la carne.
Alise la superficie y cubra
con papel de aluminio.

5 Hornee el pastel
1 hora, o hasta que
salga un jugo claro al
pinchar en el centro.
Retire el exceso de
grasa que pueda haber
y vuélquelo sobre una
fuente. Adorne con hojas
de ensalada verde.

Fideos al huevo con buey

Para 4 personas

INGREDIENTES

285 g de fideos al huevo

3 cucharadas de aceite de nuez

1 trozo de jengibre de 2,5 cm, cortado en tiras finas

5 cebolletas cortadas en tiras finas

2 dientes de ajo picados

1 pimiento rojo, sin la pulpa blanca ni semillas, y cortado en tiras finas

100 g de champiñones pequeños, cortados en láminas finas

340 g de filete de buey, cortado en tiras delgadas

1 cucharada de harina de maíz

5 cucharadas de jerez seco

3 cucharadas de salsa de soja

1 cucharadita de azúcar moreno

225 g de brotes de soja

1 cucharada de aceite de sésamo

sal y pimienta

tiras de cebolleta, para adornar

1 En una cazuela grande, lleve agua a ebullición. Añada los fideos y cuézalos según las instrucciones del envase. Escúrralos y resérvelos.

2 Caliente un wok en seco, vierta el aceite de nuez y caliéntelo. Saltee el jengibre, las cebolletas y el ajo unos 45 segundos. Añada el pimiento, los champiñones y la carne, y saltee 4 minutos más. Salpimente al gusto.

3 Deslía la harina de maíz con el jerez y la salsa de soja en un cuenco pequeño hasta formar una pasta, y viértala en el wok. Esparza el azúcar moreno por encima y saltee todos los ingredientes durante 2 minutos.

4 Añada los brotes de soja, los fideos escurridos y el aceite de sésamo, y remueva durante 1 minuto. Adorne con tiras de cebolleta y sirva.

SUGERENCIA

Si no dispone de un wok, puede preparar la receta en una sartén, aunque el wok es preferible porque su base redondeada garantiza la distribución uniforme de calor y hace más fácil el remover y agitar los ingredientes al saltearlos.

Tallarines con albóndigas al vino tinto y salsa de setas

Para 4 personas

INGREDIENTES

150 g de pan rallado	150 ml de vino tinto	450 g de carne picada
150 ml de leche	4 tomates, sin piel y picados	1 cucharadita de pimentón
225 g de setas de ostra cortadas en láminas	1 cucharada de pasta de tomate	450 g de tallarines al huevo
	1 cucharadita de azúcar moreno	sal y pimienta
25 g de mantequilla	1 cucharada de albahaca fresca picada fina	ramitas de albahaca fresca, para decorar
9 cucharadas de aceite de oliva		
25 g de harina integral	12 chalotes picados	
200 ml de caldo de buey		

1 Remoje el pan en la leche 30 minutos.

2 Fría las setas con la mitad de la mantequilla y 4 cucharadas del aceite. Cuando ya estén blandas, agregue el caldo y el vino, y déjelo a fuego suave unos 15 minutos. Incorpore el tomate, la pasta de tomate, el azúcar y la albahaca, y cuézalo 30 minutos.

3 Mezcle los chalotes, la carne y el pimentón con el pan rallado. Añada sal y pimienta, y forme 14 albóndigas.

4 En una sartén, caliente 4 cucharadas de aceite y el resto de la mantequilla, y dore las albóndigas. Páselas a una cazuela refractaria, vierta la salsa de setas al vino, cubra y cuézalo en el horno precalentado a 180 °C durante unos 30 minutos.

5 En una cazuela, ponga a hervir agua salada. Añada la pasta y el resto del aceite, y cuézala hasta que esté tierna. Escúrrala y pásala a una fuente. Vierta las albóndigas con su salsa sobre la pasta. Adorne con la albahaca fresca y sirva.

Espaguetis a la siciliana

Para 4 personas

INGREDIENTES

150 ml de aceite de oliva, y un poco más para untar
2 berenjenas
350 g de carne de buey picada
1 cebolla picada
2 dientes de ajo chafados
2 cucharadas de pasta de tomate
1 lata de 400 g de tomate triturado

1 cucharadita de salsa Worcestershire
1 cucharadita de mejorana u orégano fresco picado, o ½ cucharadita de seco
60 g de aceitunas negras, deshuesadas y cortadas en rodajas

1 pimiento verde, rojo o amarillo, sin la pulpa blanca ni semillas y picado
175 g de espaguetis
115 g de queso parmesano rallado
sal y pimienta

1 Unte un molde para pasteles de 20 cm de diámetro y base desmontable con aceite, forre la base con papel vegetal y úntelo también.

2 Corte las berenjenas en rodajas. Fríalas con un poco de aceite hasta que estén doradas por ambos lados. Escúrralas sobre papel de cocina.

3 En una cazuela, fría la carne con la cebolla y el ajo hasta que se haya dorado. Añada la pasta de tomate, el tomate, la salsa Worcestershire, las hierbas, sal y pimienta. Cuézalo a fuego suave 10 minutos. Incorpore las aceitunas y el pimiento, y déjelo cocer otros 10 minutos.

4 Ponga a hervir agua salada en una cazuela. Añada los espaguetis y 1 cucharada de aceite, y cuézalos hasta que estén tiernos. Escúrralos y páselos a un cuenco. Añada la carne y el queso, y remueva para mezclar bien todos los ingredientes.

5 Disponga las rodajas de berenjena sobre la base y los lados del molde. Vierta la pasta y cúbrala con el resto de la berenjena. Cueza el pastel 40 minutos en el horno precalentado a 200 °C. Déjelo reposar 5 minutos y vuélquelo sobre un plato; retire el molde y el papel y sirva.

Pasta al horno con carne

Para 4 personas

INGREDIENTES

900 de bistec de buey

150 ml de caldo de buey

450 g de macarrones

300 ml nata líquida espesa

½ cucharadita de *garam masala*

sal

cilantro fresco, para adornar

pan indio tipo *naan*, para servir

PASTA *KORMA*:

60 g de almendras escaldadas

6 dientes de ajo

1 trozo de jengibre fresco de 2,5 cm, finamente picado

6 cucharadas de caldo de buey

1 cucharadita de cardamomo molido

4 clavos majados

1 cucharadita de canela

2 cebollas grandes, picadas

1 cucharadita de semillas de cilantro

2 cucharaditas de semillas de comino molidas

una pizca de cayena molida

6 cucharadas de aceite de girasol

1 En un mortero, maje las almendras, y en una batidora o picadora, tritúrelas con el resto de los ingredientes de la pasta *korma* hasta obtener una textura muy suave.

2 Coloque la carne en un plato llano y ponga cucharadas de *korma* por encima; déle la vuelta para recubrirla bien. Déjela macerar 6 horas en la nevera.

3 En una cazuela grande, cueza la carne a fuego suave durante 35 minutos; añada un poco del caldo si lo considera necesario.

4 Ponga a hervir agua salada en una cazuela. Añada los macarrones y cuézalos 10 minutos, hasta que estén tiernos. Escurra la pasta y pásela a una cazuela refractaria honda, junto con la carne, la nata y la *garam masala*.

5 Cueza la pasta durante unos 30 minutos en el horno precalentado a 200 °C. Retírela y déjela reposar 10 minutos. Adorne con cilantro fresco y sírvala con el pan *naan*.

VARIACIÓN

También puede preparar este plato con carne y caldo de pollo en lugar de buey.

Lasaña verde

Para 4–6 personas

INGREDIENTES

mantequilla, para engrasar
14 láminas de lasaña precocinada
850 ml de salsa bechamel
    (véase pág. 166)
75 g de mozzarella rallada
albahaca fresca (opcional),
    para decorar

SALSA DE CARNE:
25 ml de aceite de oliva
450 g de carne de buey picada
1 cebolla grande picada
1 tallo de apio cortado en dados
4 dientes de ajo chafados
25 g de harina
300 ml de caldo de buey
150 ml de vino tinto

1 cucharada de perejil
    fresco picado
1 cucharadita de mejorana
    fresca picada
1 cucharadita de albahaca
    fresca picada
2 cucharadas de pasta de tomate
sal y pimienta

1 Para hacer el relleno, caliente el aceite de oliva en una sartén grande y fría la carne, removiendo con frecuencia, hasta que esté dorada. Añada la cebolla, el apio y el ajo, y rehogue 3 minutos.

2 Espolvoree la harina por encima y cuézalo todo, sin dejar de remover, durante 1 minuto. Poco a poco, agregue el caldo y el vino tinto. Salpimente bien y añada el perejil, la mejorana y la albahaca. Cuando hierva, reduzca la temperatura y déjelo a fuego suave 35 minutos. Añada la pasta de tomate y cuézalo 10 minutos más.

3 Engrase ligeramente con mantequilla una fuente para el horno. Coloque láminas de lasaña sobre la base, deposite unas cucharadas de relleno de carne, y después de salsa bechamel. Coloque una segunda capa de lasaña encima, y repita el proceso 2 veces, terminando con una capa de bechamel. Espolvoree con la mozzarella rallada.

4 Cueza la lasaña en el horno precalentado a 190 °C durante unos 35 minutos. Cuando la parte superior esté dorada, adórnela con albahaca fresca y sírvala.

Pasticcio

Para 6 personas

INGREDIENTES

250 g de espirales
1 cucharada de aceite de oliva,
    y un poco más para untar
4 cucharadas de nata líquida espesa
ensalada mixta, para acompañar

SALSA:
2 cucharadas de aceite de oliva
1 cebolla cortada en rodajas finas
1 pimiento rojo, sin la pulpa
    blanca ni semillas y picado

2 dientes de ajo picados
600 g de carne de buey picada
1 lata de 400 g de tomate
    triturado
125 ml de vino blanco seco
2 cucharadas de perejil fresco
    picado
1 lata de 60 g de anchoas,
    escurridas y picadas
sal y pimienta

COBERTURA:
300 ml de yogur natural
3 huevos
una pizca de nuez moscada recién
    rallada
40 g de queso parmesano rallado

1 Para hacer la salsa, haga un sofrito con la cebolla y el pimiento. Añada el ajo y sofría 1 minuto más. Agregue la carne y fríala hasta que esté dorada.

2 Incorpore el tomate y el vino, llévelo a ebullición y cuézalo a fuego suave 20 minutos. Cuando se espese, añada el perejil y las anchoas, y salpimente.

3 Ponga a hervir agua salada en una cazuela. Añada la pasta y el aceite y cuézala 10 minutos, hasta que esté casi tierna. Escúrrala y pásela a un cuenco. Mézclela con la nata líquida.

4 Para preparar la cobertura, bata el yogur con los huevos y la ralladura de nuez moscada.

5 Unte con aceite una fuente para el horno. Deposite la mitad de la pasta y cúbrala con la mitad de la salsa de carne. Repita la operación y termine con la cobertura. Espolvoree con el queso rallado.

6 Cueza el *pasticcio* en el horno precalentado a 190 °C, unos 25 minutos. Sírvalo con ensalada.

Fettuccine con ternera y pomelo en salsa de mantequilla y pétalos de rosa

Para 4 personas

INGREDIENTES

450 g de *fettuccine*
7 cucharadas de aceite de oliva
1 cucharadita de orégano fresco picado
1 cucharadita de mejorana fresca picada
170 g de mantequilla

450 g de filete de ternera, cortado en lonchitas
150 ml de vinagre de pétalos de rosa (véase sugerencia)
150 ml de caldo de pescado
50 ml de zumo de pomelo
50 ml de nata líquida espesa
sal

PARA DECORAR:
12 gajos de pomelo rosado
12 granos de pimienta rosa
pétalos de rosa
hojas de hierbas frescas

1 Cueza los *fettuccine* en una cazuela con agua salada y 1 cucharada del aceite, durante 12 minutos. Escúrralos y páselos a una fuente. Rocíe con 2 cucharadas de aceite de oliva, y esparza el orégano y la mejorana.

2 En una sartén, caliente 50 g de mantequilla con el resto del aceite, y fría las lonchas de carne durante 6 minutos. Deposítelas sobre la pasta.

3 En la sartén, hierva el caldo de pescado con el vinagre, a fuego vivo, hasta que se reduzca a $1/3$ parte. Añada el zumo de pomelo y la nata y deje a fuego suave 4 minutos. Agregue el resto de la mantequilla y remueva hasta que se haya disuelto.

4 Vierta la salsa alrededor de la carne, decore y sirva inmediatamente.

SUGERENCIA

Para el vinagre de pétalos de rosa, macere los pétalos de 8 rosas, sin pesticidas, con 150 ml de vinagre de vino blanco durante 48 horas.

Chuletas de ternera a la napolitana con mascarpone y marille

Para 4 personas

INGREDIENTES

200 g de mantequilla

4 chuletas de ternera de 250 g cada una, con la grasa recortada

1 cebolla grande, cortada en rodajas

2 manzanas peladas, sin corazón y cortadas en rodajas

175 g de champiñones pequeños

1 cucharada de estragón fresco picado

8 granos de pimienta negra

1 cucharada de semillas de sésamo

400 g de *marille*

100 ml de aceite de oliva virgen extra

175 g de mascarpone troceado

sal y pimienta

2 tomates grandes, cortados por la mitad

las hojas de 1 ramita de albahaca fresca

1 En una sartén, derrita 60 g de mantequilla y fría la ternera a fuego suave, 5 minutos por cada lado. Resérvela caliente.

2 Dore la cebolla y la manzana. Páselas a un plato, ponga la carne encima y no deje que se enfríe.

3 Fría los champiñones, el estragón y los granos de pimienta con el resto de la mantequilla durante unos 3 minutos. Espolvoree con las semillas de sésamo.

4 Ponga a hervir agua salada en una cazuela. Añada la pasta y 1 cucharada de aceite y cuézala hasta que esté tierna. Escúrrala y pásela a una fuente.

5 Espolvoree la pasta con los trocitos de queso y rocíe con el resto del aceite de oliva. Luego, ponga la cebolla, la manzana y las chuletas de ternera sobre la pasta. Deposite sobre la carne los champiñones, los granos de pimienta y el jugo de la sartén. Disponga los tomates y las hojas de albahaca alrededor de la fuente y caliéntelo en el horno precalentado a 150 °C durante 5 minutos. Salpimente al gusto y sírvalo inmediatamente.

Cerdo salteado
con pasta y verduras

Para 4 personas

INGREDIENTES

3 cucharadas de aceite de sésamo
350 g de solomillo de cerdo
    cortado en tiras delgadas
450 g de *taglioni*
1 cucharada de aceite de oliva
8 chalotes cortados en rodajas
2 dientes de ajo picados muy finos
1 trozo de jengibre fresco de
    2,5 cm, rallado

1 guindilla verde fresca,
    finamente picada
1 pimiento rojo, sin la pulpa
    blanca ni semillas y cortado
    en rodajas finas
1 pimiento verde, sin la pulpa
    blanca ni semillas y cortado
    en rodajas finas
3 calabacines cortados en rodajitas

2 cucharadas de almendra
    molida
1 cucharadita de canela en polvo
1 cucharada de salsa de ostras
60 g de coco cremoso rallado
    (véase sugerencia)
sal y pimienta

1 Caliente un wok, vierta el aceite de sésamo y caliéntelo. Salpimente la carne y saltéela 5 minutos.

2 Cueza los *taglioni* en agua salada con 1 cucharada de aceite, unos 12 minutos. Resérvelos y manténgalos calientes.

3 Incorpore los chalotes, el ajo, el jengibre y la guindilla en el wok, y saltee 2 minutos. Agregue los pimientos y el calabacín, y saltee 1 minuto.

4 Añada la almendra molida, la canela, la salsa de ostras y el coco cremoso, y saltee 1 minuto.

5 Escurra la pasta y pásela a una fuente. Ponga por encima la carne y las verduras salteadas, y sirva el plato de inmediato.

SUGERENCIA

Encontrará el coco cremoso en tiendas de alimentación china y asiática, y en algunas grandes superficies. Se vende en bloques compactos y da a los platos un intenso sabor a coco.

Orecchioni con cerdo en salsa cremosa, con adorno de huevos de codorniz

Para 4 personas

INGREDIENTES

450 g de solomillo de cerdo,
    cortado en lonchas finas
4 cucharadas de aceite de oliva
225 g de champiñones pequeños,
    cortados en láminas

200 ml de salsa italiana de vino
    tinto (véase pág. 52)
1 cucharada de zumo de limón
una pizca de azafrán
350 g de orecchioni

4 cucharadas de nata líquida
    espesa
12 huevos de codorniz (véase
    sugerencia)
sal

1 Golpee con una maza de cocina las lonchas de carne hasta que estén muy finas, y después córtelas en tiras delgadas.

2 Caliente el aceite de oliva en una sartén y saltee la carne 5 minutos. A continuación, saltee los champiñones 2 minutos.

3 Vierta por encima la salsa italiana de vino tinto y cuézalo a fuego suave durante 20 minutos.

4 Ponga a hervir agua salada en una cazuela. Añada el zumo de limón, el azafrán y los orecchioni, y cuézalos 12 minutos, hasta que estén al dente. Escurra.

5 Mezcle la nata líquida con la carne de la sartén y caliéntelo a fuego suave durante 3 minutos.

6 Hierva los huevos de codorniz 3 minutos, enfríelos con agua fría y quíteles la cáscara.

7 Pase la pasta a una fuente caliente, ponga encima la carne y la salsa, y adorne con los huevos. Sírvala inmediatamente.

SUGERENCIA

En esta receta, los huevos de codorniz quedan un poco blandos. Cuando están calientes resulta muy difícil quitarles la cáscara; por eso primero hay que enfriarlos bien, para que no se rompan.

Canelones de espinacas

Para 4 personas

INGREDIENTES

8 tubos de canelones
1 cucharada de aceite de oliva
25 g de queso parmesano rallado
ramitas de hierbas frescas,
    para adornar

RELLENO:
25 g de mantequilla
300 g de espinacas congeladas,
    descongeladas y picadas

115 g de queso ricotta
25 g de queso parmesano recién
    rallado
60 g de jamón en dulce picado
una pizca de nuez moscada
    recién rallada
2 cucharadas de nata líquida
    espesa
2 huevos ligeramente batidos
sal y pimienta

SALSA:
25 g de mantequilla
25 g de harina
300 ml de leche
2 hojas de laurel
una pizca de nuez moscada
    recién rallada

1 Para el relleno, saltee las espinacas 2-3 minutos con mantequilla. Sáquelas del fuego y mézclelas con los quesos y el jamón. Sazone con sal, pimienta y nuez moscada. Añada la nata líquida y el huevo, y bata hasta que se espese.

2 Cueza la pasta en una cazuela con agua hirviendo, sal y aceite. Escúrrala y resérvela.

3 Para la salsa, derrita la mantequilla en un cazo. Añada la harina y rehogue 1 minuto. Vierta la leche poco a poco, añada las hojas de laurel y déjelo a fuego suave 5 minutos. Agregue la nuez moscada y salpimente. Retírelo del fuego y elimine el laurel.

4 Introduzca el relleno en una manga pastelera y rellene los canelones.

5 Con una cuchara, ponga un poco de salsa en la base de una fuente para el horno. Coloque los canelones uno al lado de otro, en una sola capa, y vierta por encima el resto de la salsa. Espolvoree con el parmesano y cuézalos unos 40-45 minutos en el horno precalentado a 190 ºC. Adórnelos con las ramitas de hierbas frescas y sírvalos inmediatamente.

Tagliatelle con calabaza

Para 4 personas

INGREDIENTES

500 g de calabaza, pelada
y sin pipas
3 cucharadas de aceite de oliva
1 cebolla finamente picada
2 dientes de ajo chafados
4-6 cucharadas de perejil fresco
picado

una pizca de nuez moscada
recién rallada
unos 250 ml de caldo de verduras
o de pollo
115 g de jamón curado
250 g de *tagliatelle*

150 ml de nata líquida espesa
sal y pimienta
queso parmesano recién rallado,
para servir

1 Corte la pulpa de la calabaza en dados de 1 cm.

2 Caliente 2 cucharadas de aceite de oliva en una cazuela grande, y rehogue la cebolla y el ajo a fuego suave durante unos 3 minutos, hasta que se hayan ablandado. Añada la mitad del perejil y rehogue 1 minuto más.

3 Incorpore los dados de calabaza y cuézalo durante otros 2-3 minutos. Sazone al gusto con nuez moscada, sal y pimienta.

4 Agregue la mitad del caldo, llévelo a ebullición, tape la cazuela y cuézalo a fuego suave durante 10 minutos, o hasta que la calabaza esté tierna; añada caldo si es necesario.

5 Incorpore el jamón en la cazuela y deje cocer, removiendo con frecuencia, unos 2 minutos.

6 Ponga a hervir agua ligeramente salada en una cazuela grande. Añada los *tagliatelle* y el resto del aceite, y cuézalos durante 12 minutos, hasta que estén *al dente*. Escurra la pasta y pásela a una fuente caliente.

7 Vierta la nata sobre la salsa de calabaza. Caliéntela, removiendo. Deposite cucharadas de salsa sobre la pasta, espolvoree con el resto del perejil y sirva enseguida.

Pastel de berenjena

Para 4 personas

INGREDIENTES

1 berenjena en rodajas finas
5 cucharadas de aceite de oliva
250 g de espirales
600 ml de salsa bechamel
   (véase pág. 166)
90 g de queso cheddar rallado
mantequilla, para engrasar
25 g de queso parmesano rallado
sal y pimienta

SALSA DE CORDERO:
2 cucharadas de aceite de oliva
1 cebolla grande cortada
   en rodajas
2 tallos de apio, cortados
   en rodajitas
450 g de carne de cordero picada
3 cucharadas de pasta de tomate

150 g de tomates secados al sol
   de bote, escurridos y picados
1 cucharadita de orégano seco
1 cucharada de vinagre de vino
   tinto
150 ml de caldo de pollo

1 Espolvoree las rodajas de berenjena con sal y resérvelas.

2 Fría la cebolla y el apio durante 3-4 minutos. Añada la carne y dórela. Agregue el resto de los ingredientes de la salsa, llévelo a ebullición y cuézalo 20 minutos.

3 Enjuague las rodajas de berenjena, escúrralas y séquelas con papel de cocina. Caliente 4 cucharadas de aceite en una sartén y fría las berenjenas 4 minutos por cada lado. Escúrralas.

4 Cueza las espirales en agua salada con el resto del aceite, hasta que estén tiernas. Escúrralas.

5 Caliente suavemente la salsa bechamel. Añada el queso cheddar y luego vierta la mitad de la salsa de queso sobre la pasta.

6 Disponga capas alternas de pasta, salsa de carne y berenjena en una fuente para el horno engrasada. Vierta el resto de la bechamel al queso por encima. Espolvoree con parmesano y cuézalo 25 minutos en el horno precalentado a 190 °C. Sírvalo caliente o frío.

Espaguetis integrales con supremas de pollo Nell Gwynn

Para 4 personas

INGREDIENTES

25 ml de aceite de colza

3 cucharadas de aceite de oliva

4 supremas de pollo de 225 g

150 ml de brandi de naranja

15 g de harina

150 ml de zumo de naranja recién exprimido

25 g de calabacín cortado en juliana fina

25 g de pimiento rojo cortado en juliana fina

25 g de puerro cortado en tiras finas

400 g de espaguetis integrales

3 naranjas grandes, peladas y divididas en gajos

la piel de 1 naranja, cortada en tiras muy finas

2 cucharadas de estragón fresco picado

150 ml de queso fresco para untar o ricotta

sal y pimienta

1 Caliente el aceite de colza y 1 cucharada del de oliva en una sartén. Fría rápidamente el pollo hasta que esté dorado. Agregue el brandi de naranja y cueza 3 minutos. Espolvoree la harina por encima y cueza 2 minutos.

2 Baje el fuego y añada el zumo de naranja, el calabacín, el pimiento, el puerro, sal y pimienta. Déjelo a fuego suave unos 5 minutos, hasta que la salsa se haya espesado.

3 Mientras tanto, ponga a hervir agua salada en una cazuela. Añada los espaguetis y 1 cucharada de aceite de oliva, y cuézalos 10 minutos. Escúrralos, páselos a una fuente y rocíe con el resto del aceite.

4 Añada la mitad de los gajos y de la piel de la naranja, el estragón y el queso fresco o el ricotta a la salsa de la cazuela, y déjela cocer durante 3 minutos.

5 Coloque el pollo sobre la pasta, vierta un poco de salsa por encima, adorne con gajos y piel de naranja y sirva el plato sin dilación.

Lasaña de pollo y setas silvestres

Para 4 personas

INGREDIENTES

mantequilla, para engrasar	SALSA DE POLLO Y SETAS:	115 g de jamón curado, cortado
14 láminas de lasaña precocinada	2 cucharadas de aceite de oliva	en dados
850 ml de salsa bechamel	2 dientes de ajo chafados	150 ml de vino de Marsala
(véase pág. 166)	1 cebolla grande finamente	1 lata de 285 g de tomate
75 g de queso parmesano rallado	picada	triturado
	225 g de setas silvestres, cortadas	1 cucharada de hojas de albahaca
	en láminas	fresca, picadas
	300 g de carne de pollo picada	2 cucharadas de pasta de tomate
	80 g de higaditos de pollo,	sal y pimienta
	picados finos	

1 Para hacer la salsa, caliente el aceite de oliva en una cazuela grande. Añada el ajo, la cebolla y las setas, y sofría durante 6 minutos.

2 Incorpore la carne picada y los higaditos de pollo, así como el jamón, y rehogue durante 12 minutos, hasta que la carne se haya dorado.

3 Añada el vino de Marsala, el tomate, la albahaca y la pasta de tomate, y rehogue unos 4 minutos. Salpimente, tape la cazuela y cuézalo a fuego suave 30 minutos. Remueva y cueza durante otros 15 minutos.

4 Coloque las láminas de lasaña sobre la base de una fuente para el horno engrasada. Con una cuchara, extienda relleno, y por encima una capa de bechamel. Ponga otra capa de lasaña y repita la operación 2 veces más, terminando con bechamel. Espolvoree con el queso rallado, y cueza la lasaña 35 minutos en el horno precalentado a 190 °C, hasta que la superficie esté bien dorada. Sirva.

Tagliatelle con salsa de pollo

Para 4 personas

INGREDIENTES

250 g de *tagliatelle* verdes
 frescos
1 cucharada de aceite de oliva
hojas de albahaca fresca, para
 decorar
sal

SALSA DE TOMATE:
2 cucharadas de aceite de oliva
1 cebolla pequeña picada
1 diente de ajo picado

1 lata de 400 g de tomate
 triturado
2 cucharadas de perejil fresco
 picado
1 cucharadita de orégano seco
2 hojas de laurel
2 cucharadas de pasta de tomate
1 cucharadita de azúcar
sal y pimienta

SALSA DE POLLO:
60 g de mantequilla sin sal
400 g de pechugas de pollo
 deshuesadas, sin piel y
 ´cortadas en tiras finas
90 g de almendras escaldadas
300 ml de nata líquida espesa
sal y pimienta

1 Para hacer la salsa de tomate, caliente el aceite y fría la cebolla hasta que esté trasparente. Añada el ajo y fría 1 minuto más. Incorpore el tomate, las hierbas, la pasta de tomate y el azúcar, y salpimente al gusto. Cuézalo a fuego suave 15-20 minutos, hasta que se reduzca a la mitad. Retírelo del fuego y deseche las hojas de laurel.

2 Para la salsa de pollo, derrita la mantequilla en una sartén y saltee la pechuga y las almendras 5-6 minutos, hasta que el pollo esté cocido.

3 Mientras tanto, hierva la nata a fuego lento, unos 10 minutos, hasta que se reduzca a la mitad. Viértala sobre el pollo y las almendras, remueva y

salpimente al gusto. Reserve y manténgalo caliente.

4 Ponga a hervir agua salada en una cazuela. Añada la pasta y el aceite, y cuézala hasta que esté tierna. Escúrrala y pásela a una fuente caliente. Vierta la salsa de tomate sobre los *tagliatelle*, y después la salsa de pollo. Adorne con las hojas de albahaca y sirva.

Pollo horneado a la mostaza con caracoles de pasta

Para 4 personas

INGREDIENTES

8 trozos de pollo (de unos
115 g cada uno)
60 g de mantequilla derretida
4 cucharadas de mostaza de sabor
suave (véase sugerencia)

2 cucharadas de zumo de limón
1 cucharada de azúcar moreno
1 cucharadita de pimentón
3 cucharadas de semillas de
amapola

400 g de caracoles de pasta
1 cucharada de aceite de oliva
sal y pimienta

1 Coloque el pollo, con la parte más plana hacia abajo, en una fuente para el horno.

2 Mezcle la mantequilla con la mostaza, el zumo de limón, el azúcar, el pimentón, sal y pimienta. Unte con la mitad de la pasta la parte superior del pollo, y áselo durante 15 minutos en el horno precalentado a 200 °C.

3 Retire la fuente del horno y déle la vuelta al pollo. Úntelo por encima con el resto de la mezcla de mostaza, espolvoree con las semillas de amapola y hornéelo 15 minutos más.

4 Mientras tanto, en una cazuela grande, lleve agua ligeramente salada a ebullición. Añada los caracoles de pasta y aceite de oliva, y cuézalos hasta que estén al dente.

5 Escurra la pasta y pásela a una fuente caliente. Ponga el pollo sobre la pasta, vierta la salsa por encima y sirva el plato inmediatamente.

SUGERENCIA

La mostaza de Dijon es la variedad que más se utiliza para cocinar, ya que tiene un sabor limpio y no demasiado picante. La mostaza alemana es agridulce, y la de Baviera, más dulce que la anterior. La americana es poco picante y dulzona.

Tortellini

Para 4 personas

INGREDIENTES

115 g de pechuga de pollo, deshuesada y sin piel	una pizca de pimienta de Jamaica en polvo	SALSA:
60 g de jamón curado	1 huevo batido	300 ml de nata líquida
40 g de espinacas cocidas, bien escurridas	450 g de masa básica para pasta (véase pág. 4)	2 dientes de ajo chafados
1 cucharada de cebolla finamente picada	sal y pimienta	115 g de champiñones pequeños, cortados en láminas finas
2 cucharadas de queso parmesano rallado	2 cucharadas de perejil fresco picado, para adornar	4 cucharadas de queso parmesano rallado

1 Ponga a hervir agua con sal y pimienta. Escalde el pollo 10 minutos. Deje que se enfríe y píquelo muy fino en una picadora, con el jamón, las espinacas y la cebolla. Añada la pimienta de Jamaica, el parmesano y el huevo. Salpimente.

2 Extienda la masa para pasta bien fina con el rodillo, y córtela en círculos de 5 cm de diámetro.

3 Coloque ½ cucharadita de relleno en el centro de cada redondel. Dóblelos por la mitad y presione los bordes para sellarlos. Enrosque cada pieza alrededor de su dedo índice, cruce los extremos y curve el resto de masa hacia atrás.

4 Hierva los *tortellini* en agua salada, durante 5 minutos. Escúrralos.

5 Para hacer la salsa, lleve la nata líquida con el ajo a ebullición, baje la temperatura y cuézalo 3 minutos. Incorpore los champiñones y la mitad del queso, salpimente y déjelo a fuego suave 2-3 minutos. Pase los *tortellini* a una fuente de servir y vierta la salsa por encima. Espolvoree con el resto del parmesano, adorne con el perejil y sirva.

Supremas de pollo rellenas de langostino sobre un lecho de pasta

Para 4 personas

INGREDIENTES

4 supremas de pollo de 200 g
cada una, sin grasa
115 g de hojas de espinacas, con
los tallos recortados y las
hojas escaldadas en agua
caliente salada

4 lonchas de jamón curado
12-16 langostinos crudos, sin
caparazón ni hilo intestinal
450 g de *tagliatelle*
1 cucharada de aceite de oliva
60 g de mantequilla, y un poco
más para engrasar

3 puerros cortados en tiras finas
1 zanahoria grande, rallada
150 ml de mayonesa espesa
2 remolachas grandes cocidas
sal

1 Ponga cada suprema de pollo entre 2 trozos de papel vegetal y golpéelas con la maza o el rodillo para aplanarlas.

2 Reparta la mitad de las espinacas entre las supremas, ponga encima una loncha de jamón y otra capa de espinacas. Coloque 3-4 langostinos encima. Enrolle el pollo alrededor del relleno. Envuelva cada rollito en papel de aluminio engrasado, colóquelos sobre una bandeja y áselos en el horno precalentado a 200 °C, unos 20 minutos.

3 Hierva la pasta en agua salada con el aceite, hasta que esté tierna. Escúrrala y pásela a una fuente de servir.

4 Fría con mantequilla el puerro y la zanahoria, durante 3 minutos. Póngalo en el centro de la pasta.

5 Bata la mayonesa con 1 remolacha en una batidora. Cuele la salsa y viértala alrededor de la pasta y las verduras.

6 Corte otra remolacha en rombos y decore con ellos el reborde de la fuente. Retire el papel de aluminio y corte las supremas de pollo en lonchas finas. Disponga las lonchas sobre la pasta y las verduras, y sirva.

Pollo y langosta sobre una base de plumas

Para 6 personas

INGREDIENTES

mantequilla, para engrasar
6 pechugas de pollo
450 g de plumas estriadas
6 cucharadas de aceite de oliva
   virgen extra
90 g de queso parmesano rallado

hierbas frescas, para decorar
sal

RELLENO:
115 g de carne de langosta,
   picada

2 chalotes, picados muy finos
2 higos picados
1 cucharada de vino de Marsala
2 cucharadas de pan rallado
1 huevo grande batido
sal y pimienta

1 Engrase 6 trozos de papel de aluminio lo suficientemente grandes para contener cada uno 1 pechuga de pollo, y unte también ligeramente una bandeja para el horno.

2 Ponga todos los ingredientes del relleno en un cuenco, y mézclelos bien con una cuchara.

3 Con un cuchillo afilado, haga una incisión lateral profunda en cada pechuga, y rellénelas con la mezcla de langosta.

Envuelva las pechugas con papel de aluminio y deposítelas sobre la bandeja del horno. Áselas durante 30 minutos en el horno precalentado a 200 °C.

4 Mientras tanto, ponga a hervir agua ligeramente salada en una cazuela grande. Añada la pasta y 1 cucharada del aceite de oliva, y cuézala hasta que esté al dente. Escúrrala bien y pásela a una fuente. Rocíe con aceite y espolvoree con el parmesano. Reserve y manténgala caliente.

5 Retire con cuidado el papel de aluminio de las pechugas de pollo. Córtelas en lonchas muy finas y dispóngalas sobre la pasta. Adorne el plato con hierbas frescas y sírvalo inmediatamente.

SUGERENCIA

El trozo de pollo que se conoce como suprema consiste en la pechuga con el ala, y siempre va sin piel.

Pollo con aceitunas verdes y pasta

Para 4 personas

INGREDIENTES

4 pechugas de pollo,
parcialmente deshuesadas

3 cucharadas de aceite de oliva

25 g de mantequilla

1 cebolla grande finamente
picada

2 dientes de ajo chafados

2 pimientos rojos, amarillos o

verdes, sin la pulpa blanca ni
semillas y cortados en trozos
grandes

250 g de champiñones pequeños,
cortados en láminas o en
cuartos

175 g de tomates, pelados y
partidos por la mitad

150 ml de vino blanco seco

175 g de aceitunas verdes
deshuesadas

4-6 cucharadas de nata líquida
espesa

400 g de pasta seca

sal y pimienta

perejil picado, para adornar

1 Fría las pechugas de pollo en una sartén con 2 cucharadas de aceite y la mantequilla. Retírelas cuando estén doradas.

2 Fría la cebolla y el ajo hasta que empiecen a ablandarse. Incorpore el pimiento y los champiñones, y cuézalo 2-3 minutos. Agregue los tomates, sal y pimienta. Pase las verduras a una fuente para el horno, junto con el pollo.

3 Hierva el vino en la sartén y viértalo sobre el pollo. Tape el recipiente y cueza el pollo en el horno precalentado a 180 °C durante 50 minutos.

4 Incorpore las aceitunas en la fuente del horno, añada la nata líquida, tápelo y hornéelo durante unos 10-20 minutos más.

5 Mientras tanto, en una cazuela grande, ponga a hervir agua ligeramente salada. Añada la pasta y una cucharada de aceite, y cuézala hasta que esté *al dente.* Escúrrala bien y pásela a una fuente.

6 Deposite el pollo sobre la pasta, vierta por encima el jugo, adorne con el perejil y sirva el plato muy caliente. Si lo desea, puede servir la pasta en un cuenco aparte.

Pechugas de pato con linguine

Para 4 personas

INGREDIENTES

4 pechugas de pato tiernas, deshuesadas, de 275 g cada una
25 g de mantequilla
50 g de zanahorias finamente picadas
50 g de chalotes finamente picados

1 cucharada de zumo de limón
150 ml de caldo de carne
4 cucharadas de miel líquida
115 g de frambuesas frescas o congeladas, descongeladas
25 g de harina
1 cucharada de salsa Worcestershire

400 g de *linguine* frescos
1 cucharada de aceite de oliva
sal y pimienta

PARA ADORNAR:
frambuesas frescas
una ramita de perejil fresco

1 Limpie y recorte la grasa de las pechugas, hágales unos cortes poco profundos y salpimente bien. Fría las pechugas con mantequilla hasta que empiecen a dorarse.

2 Añada la zanahoria, los chalotes, el zumo de limón y la mitad de caldo, y déjelo a fuego lento 1 minuto. Añada la mitad de la miel y las frambuesas.

Ponga la mitad de la harina y cuézala 3 minutos más; después, añada la pimienta y la salsa Worcestershire.

3 Agregue el resto del caldo y cueza 1 minuto. Añada el resto de la miel, las frambuesas y la harina. Cuézalo 3 minutos más.

4 Retire las pechugas de la sartén, pero deje la salsa a fuego suave.

5 Cueza los *linguine* en agua salada hirviendo con el aceite de oliva, hasta que estén tiernos. Escurra la pasta y sírvala en 4 platos.

6 Corte las pechugas a lo largo en lonchitas de 5 mm de grosor. Vierta un poco de salsa sobre la pasta y coloque por encima las lonchas de pechuga de pato en forma de abanico. Adorne y sirva.

Rigatoni de perdiz al pesto

Para 4 personas

INGREDIENTES

8 trozos de perdiz (de unos 115 g cada uno)	2 cucharadas de zumo de lima	1 cucharada de aceite de oliva
60 g de mantequilla derretida	1 cucharada de azúcar moreno	115 g de queso parmesano rallado
4 cucharadas de mostaza de Dijon	6 cucharadas de pesto (véase pág. 12)	sal y pimienta
	450 g de *rigatoni*	

1 Coloque los trozos de perdiz en fila, con el lado más plano hacia abajo, sobre una fuente grande para el horno.

2 Mezcle en un cuenco la mantequilla con la mostaza, el zumo de lima y el azúcar moreno. Salpimente al gusto. Unte con la mezcla la parte superior de los trozos de perdiz, y áselos en el horno precalentado a 200 °C durante unos 15 minutos.

3 Retire la fuente del horno y recubra la carne con 3 cucharadas de pesto. Hornee durante otros 12 minutos.

4 Retire la fuente del horno y, con cuidado, dé la vuelta a los trozos de perdiz. Úntelos con el resto de la mezcla de mostaza y áselos durante 10 minutos más.

5 Mientras tanto, ponga a hervir agua ligeramente salada en una cazuela grande. Añada los *rigatoni* y el aceite de oliva, y cuézalos unos 10 minutos, hasta que estén *al dente*.

Escúrralos bien y páselos a una fuente. Mezcle la pasta con el resto del pesto y el queso parmesano.

6 Deposite la perdiz sobre la fuente con los *rigatoni*, vierta por encima el jugo de cocción y sírvalo inmediatamente.

VARIACIÓN

Puede utilizar la misma receta para preparar un faisán tierno.

Lasaña de pechuga de faisán con cebollitas y guisantes

Para 4 personas

INGREDIENTES

mantequilla, para engrasar
14 láminas de lasaña precocinada
850 ml de salsa bechamel (véase pág. 166)
75 g de mozzarella rallada

RELLENO:
225 g de grasa de cerdo cortada en dados
60 g de mantequilla
16 cebollitas
8 pechugas grandes de faisán, cortadas en lonchas finas

25 g de harina
600 ml de caldo de pollo
1 ramillete de hierbas
450 g de guisantes frescos, pelados
sal y pimienta

1 Ponga la grasa de cerdo en una cazuela con agua salada hirviendo, y cuézala a fuego suave 3 minutos. Escúrrala y séquela con papel de cocina.

2 Fría la grasa de cerdo y las cebollitas con la mantequilla, hasta que estén ligeramente doradas. Retírelo de la sartén.

3 En la sartén, rehogue el faisán a fuego suave hasta que se dore. Páselo a una fuente para el horno.

4 Tamice la harina sobre la sartén y deje que se dore. Agregue el caldo. Vierta la salsa sobre el faisán, añada el ramillete de hierbas y áselo en el horno precalentado a 200 °C durante 5 minutos.

5 Retire las hierbas. Añada las cebollas, la grasa de cerdo y los guisantes, y cuézalo en el horno durante 10 minutos.

6 Pique las pechugas de faisán con la grasa de cerdo en una picadora.

7 Alterne en una fuente hojas de lasaña, mezcla de faisán y bechamel, espolvoree con el queso y hornéelo a 190 °C durante 30 minutos. Sirva el plato con los guisantes y las cebollitas alrededor.

Pescado y marisco

La pasta tiene una afinidad natural
con el pescado y el marisco: ambos se cuecen
rápidamente para conservar su sabor y textura,
están repletos de elementos nutritivos y ofrecen una
variedad casi infinita. Las estupendas recetas de este
capítulo son una buena muestra de esas cualidades.

Para una cena rápida, fácil y satisfactoria,
pruebe los espaguetis con atún, las espirales con
bacalao ahumado y salsa al huevo, la lasaña de
marisco o los macarrones con gambas al horno.

Otros platos más sofisticados e inusuales
son la lubina con salsa de aceitunas sobre
un lecho de macarrones, el salmón escalfado
con plumas, la langosta a la mantequilla
con lacitos y las vieiras con pasta al horno.
Encontrará recetas para todos los gustos, y también
para todos los bolsillos, elaboradas con pescado
de mar o de agua dulce y marisco. Todas ellas son
fáciles de preparar. El único problema consistirá
en decidirse por una a la hora de escoger.

Canelones de lenguado

Para 6 personas

INGREDIENTES

12 filetes de lenguado, de
unos 115 g cada uno
150 ml de vino tinto
90 g de mantequilla
115 g de champiñones pequeños
cortados en láminas
4 chalotes finamente picados

115 g de tomates picados
2 cucharadas de pasta de tomate
60 g de harina tamizada
150 ml de leche caliente
2 cucharadas de nata líquida
espesa
6 tubos de canelones

175 de gambas cocidas y peladas,
preferiblemente de agua
dulce
sal y pimienta
1 ramita de eneldo fresco, para
decorar

1 Unte los filetes de
lenguado con un
poco de vino; salpimente.
Enróllelos, con el lado
de la piel hacia dentro,
y sujételos con pinchos
de cocina o palillos.

2 Coloque en fila los
rollitos de pescado en
una sartén grande, añada
el resto del vino y escálfelos
4 minutos. Retire y reserve
el líquido de cocción.

3 Fría los champiñones y
los chalotes 2 minutos

con mantequilla. Añada el
tomate, la pasta de tomate
y, por último, la harina.
Agregue el líquido de
cocción reservado y la
mitad de la leche. Cuézalo
a fuego suave durante
4 minutos, removiendo.
Retírelo del fuego y vierta
la nata líquida.

4 Ponga a hervir agua
salada en una cazuela.
Cueza los canelones unos
8 minutos, hasta que estén
al dente. Escúrralos y deje
que se enfríen.

5 Retire los pinchos o
palillos de los rollitos
de pescado. Introduzca
2 filetes de lenguado en
cada tubo, con 3-4 gambas
y un poco de salsa de
vino tinto. Coloque los
canelones en una fuente
para el horno, vierta la salsa
por encima y cuézalos
20 minutos en el horno
precalentado a 200 °C.

6 Sirva los canelones
con la salsa de vino
tinto, adornados con
una ramita de eneldo.

Lubina con salsa de aceitunas sobre un lecho de macarrones

Para 4 personas

INGREDIENTES

450 g de macarrones	SALSA:	300 ml de caldo de pescado
1 cucharada de aceite de oliva	25 g de mantequilla	300 ml de nata líquida espesa
8 rodajas de lubina de 115 g cada una	4 chalotes picados	el zumo de 1 limón
	2 cucharadas de alcaparras	sal y pimienta
	175 g de aceitunas verdes, deshuesadas y picadas	
PARA ADORNAR:	4 cucharadas de vinagre balsámico	
rodajas de limón		
tiras finas de puerro		
tiras finas de zanahoria		

1 Para la salsa, derrita la mantequilla en una sartén y fría los chalotes durante 4 minutos. Luego, añada las alcaparras y las aceitunas, y déjelo al fuego 3 minutos más.

2 Agregue el vinagre balsámico y el caldo de pescado, y deje que hierva hasta que se reduzca a la mitad. Añada la nata líquida

y reduzca de nuevo a la mitad. Salpimente al gusto y agregue el zumo de limón. Retire la sartén del fuego; reserve y manténgalo caliente.

3 En una cazuela grande, ponga a hervir agua ligeramente salada. Añada la pasta y aceite de oliva y cuézala unos 12 minutos, hasta que esté *al dente*.

4 Ase las rodajas de lubina bajo el grill, 3-4 minutos por cada lado, hasta que estén cocidas pero todavía jugosas.

5 Escurra la pasta y repártala entre los platos. Coloque las rodajas de pescado encima, aliñe con la salsa de aceitunas y adorne con el limón, el puerro y la zanahoria.

Espaguetis a la bucanera

Para 4 personas

INGREDIENTES

90 g de harina	1 zanahoria cortada en dados	450 g de espaguetis
450 g de filetes de rodaballo o	1 puerro finamente picado	1 cucharada de aceite de oliva
lenguado, sin piel y picados	300 ml de sidra seca	sal y pimienta
450 g de filetes de merluza, sin	300 ml de sidra semiseca	perejil fresco picado, para
piel y picados	1 cucharada de vinagre	adornar
90 g de mantequilla	al estragón	pan integral crujiente, para servir
4 chalotes finamente picados	2 cucharaditas de esencia	
2 dientes de ajo chafados	de anchoas	

1 Sazone la harina con sal y pimienta. Separe 25 g y extiéndalos sobre un plato llano; reboce con ello los trozos de pescado.

2 Derrita la mantequilla en una cazuela que pueda ir al horno, y rehogue los filetes de pescado, los chalotes, el ajo, la zanahoria y el puerro a fuego suave, removiendo con frecuencia, durante unos 10 minutos.

3 Espolvoree con el resto de la harina sazonada y déjelo cocer, removiendo constantemente, durante 2 minutos. Poco a poco, vaya añadiendo la sidra, el vinagre y la esencia de anchoas. Llévelo a ebullición y cuézalo a fuego suave 35 minutos. También puede cocerlo durante 30 minutos en el horno precalentado a 180 °C.

4 Unos 15 minutos antes del final de la cocción, ponga a hervir agua ligeramente salada en una cazuela. Añada los espaguetis y el aceite de oliva, y cueza la pasta unos 12 minutos, hasta que esté *al dente*. Escúrrala y pásela a una fuente para servir.

5 Deposite el pescado sobre los espaguetis y vierta la salsa por encima. Adorne con el perejil picado y sirva el plato con pan integral crujiente.

Pastel de pasta al vapor

Para 4 personas

INGREDIENTES

115 g de macarrones cortos,
    u otro tipo de pasta corta
1 cucharada de aceite de oliva
15 g de mantequilla, y un poco
    más para engrasar
450 g de filetes de pescado
    blanco, por ejemplo merluza
    o bacalao fresco

2-3 ramitas de perejil fresco
6 granos de pimienta negra
125 ml de nata líquida espesa
2 huevos, las yemas separadas
    de las claras
2 cucharadas de eneldo o perejil
    fresco picado

una pizca de nuez moscada recién
    molida
60 g de queso parmesano rallado
sal y pimienta
ramitas de eneldo o perejil fresco,
    para adornar
salsa de tomate, para servir

1 Ponga a hervir agua salada en una cazuela. Añada el aceite de oliva y la pasta, y cuézala hasta que esté tierna. Escúrrala y vuelva a ponerla en la cazuela, con la mantequilla. Tápela y resérvela caliente.

2 En una cazuela con agua, hierva el pescado con el perejil y los granos de pimienta a fuego suave durante 10 minutos. Retire el pescado y reserve el líquido de cocción.

3 Quite la piel del pescado y córtelo en trocitos pequeños. Mezcle la nata líquida con las yemas de huevo, el eneldo o perejil picado, la nuez moscada y el queso, y júntelo con la pasta en un cuenco. Con cuidado incorpore el pescado. Agregue un poco del líquido de cocción reservado, para obtener una mezcla húmeda pero consistente. Bata las claras a punto de nieve e incorpórelas en la mezcla.

4 Engrase un cuenco refractario y, con una cuchara, llénelo con la preparación, dejando libres 4 cm hasta el borde. Cubra el cuenco con papel parafinado y de aluminio, y átelo bien con un cordel.

5 Ponga el cuenco sobre un trípode dentro de una cazuela, y cueza el pastel al vapor durante 1½ horas. Vuélquelo sobre una fuente. Adorne y sirva con la salsa de tomate.

Filetes de salmonete con orecchiete y salsa de naranja al amaretto

Para 4 personas

INGREDIENTES

90 g de harina

8 filetes de salmonete

25 g de mantequilla

150 ml de caldo de pescado

1 cucharada de almendras majadas

1 cucharadita de granos de pimienta rosa

1 naranja, pelada y cortada en gajos

1 cucharada de licor de naranja

la ralladura de 1 naranja

450 g de *orecchiette*

1 cucharada de aceite de oliva

150 ml de nata líquida espesa

4 cucharadas de amaretto

sal y pimienta

PARA DECORAR:

2 cucharadas de cebollino troceado

1 cucharada de almendras tostadas

1 Salpimente la harina, extiéndala sobre un plato llano y reboce los filetes de pescado. Derrita la mantequilla en una sartén y fría el pescado a fuego suave 3 minutos, hasta que esté dorado.

2 Agregue el caldo y cueza el pescado durante 4 minutos. Resérvelo caliente, cubierto con papel de aluminio.

3 Añada a la sartén las almendras, la pimienta rosada, media naranja, y el licor y la ralladura de naranja. Rehogue a fuego suave hasta que el líquido se haya reducido a la mitad.

4 Mientras tanto, hierva la pasta en una cazuela con agua ligeramente salada y aceite de oliva, durante unos 15 minutos, hasta que esté *al dente*.

5 Salpimente la salsa y agregue la nata líquida y el amaretto. Déjelo hervir durante 2 minutos. Recubra el pescado con la salsa en la misma sartén.

6 Escurra la pasta y pásela a una fuente de servir. Ponga los filetes de pescado encima, con su salsa. Adorne con gajos de naranja, el cebollino y las almendras tostadas, y sirva.

Fideos con filetes de salmonete

Para 4 personas

INGREDIENTES

1 kg de filetes de salmonete
300 ml de vino blanco seco
4 chalotes finamente picados
1 diente de ajo chafado
3 cucharadas de hierbas frescas
    variadas
la ralladura fina y el zumo de
    1 limón

una pizca de nuez moscada
    recién rallada
3 filetes de anchoa, picados
    gruesos
2 cucharadas de nata líquida
    espesa
1 cucharadita de harina de maíz
450 g de fideos finos

1 cucharada de aceite de oliva
sal y pimienta

PARA DECORAR:
1 ramita de menta fresca
rodajas de limón
tiras de piel de limón

1 Ponga los filetes de salmonete en una cazuela refractaria grande. Vierta el vino y añada los chalotes, el ajo, las hierbas, la ralladura y el zumo de limón, la nuez moscada y las anchoas. Salpimente al gusto. Tápelo y cuézalo 35 minutos en el horno precalentado a 180 ºC.

2 Con cuidado, pase el pescado a una fuente calentada. Resérvelo, manteniéndolo caliente.

3 Vierta el líquido de cocción en un cazo y llévelo a ebullición. Déjelo a fuego suave 25 minutos, hasta que se haya reducido a la mitad. Agregue la nata líquida y la harina de maíz, y remueva hasta que se espese.

4 Ponga a hervir agua salada en una cazuela. Añada los fideos y aceite y cuézalos hasta que estén al dente. Escúrralos y páselos a una fuente caliente.

5 Coloque los filetes de salmonete sobre la pasta y vierta la salsa por encima. Adorne con una ramita de menta fresca y rodajas y tiras de piel de limón. Sírvalo inmediatamente.

SUGERENCIA

El mejor salmonete es el que a veces se denomina salmonete dorado, aunque es de un color rojo vivo.

Espaguetis con atún

Para 4 personas

INGREDIENTES

200 g de atún escurrido	60 g de perejil picado grueso, y	25 g de mantequilla
1 lata de 60 g de anchoas,	un poco más para decorar	sal y pimienta
escurridas	150 ml de nata fresca espesa	aceitunas negras, para adornar
250 ml de aceite de oliva	450 g de espaguetis	pan crujiente, para servir

1 Retire las espinas que pueda tener el atún. Póngalo en una picadora o batidora, junto con las anchoas, 225 ml de aceite de oliva y el perejil. Bata hasta que quede suave.

2 Vierta poco a poco la nata en la batidora con una cuchara, y bata de nuevo unos segundos, hasta que esté homogéneo. Salpimente al gusto.

3 Ponga a hervir agua ligeramente salada en una cazuela grande. Añada el resto del aceite de oliva y los espaguetis, y cuézalos hasta que estén *al dente*.

4 Escurra los espaguetis, vuelva a ponerlos en la cazuela y déjelos a fuego moderado. Incorpore la mantequilla y remueva hasta que se unte toda la pasta. Agregue la salsa y, con 2 tenedores, mézclela bien con los espaguetis.

5 Retire la cazuela del fuego y reparta la pasta entre 4 platos individuales calientes. Adorne con las aceitunas y el perejil, y sirva con pan caliente y crujiente.

VARIACIÓN

Si le gusta, puede añadir 1-2 dientes de ajo a la salsa y sustituir la mitad del perejil por 25 g de albahaca, y, por último, adornar con alcaparras en lugar de aceitunas.

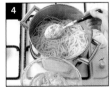

Espirales con bacalao ahumado y salsa al huevo

Para 4 personas

INGREDIENTES

25 g de mantequilla, y un poco
más para engrasar
450 g de filetes de bacalao
ahumado, cortados en
4 lonchas
600 ml de leche
25 g de harina

una pizca de nuez moscada
recién rallada
3 cucharadas de nata líquida
espesa
1 cucharada de perejil fresco
picado, y un poco más para
decorar

2 huevos duros triturados
450 g de espirales
1 cucharada de zumo de limón
sal y pimienta
patatas nuevas hervidas y
remolacha, para acompañar

1 Engrase una cazuela refractaria con mantequilla. Ponga dentro el bacalao y cúbralo con la leche. Cuézalo 15 minutos en el horno precalentado a 200 °C. Sin romper el pescado, vierta el líquido de cocción en una salsera.

2 Derrita la mantequilla en una cazuela y añada la harina. Poco a poco, vaya incorporando el líquido de cocción y removiendo.

Sazone con sal, pimienta y nuez moscada. Agregue la nata líquida, el perejil y los huevos triturados y cuézalo durante 2 minutos.

3 Mientras tanto, ponga a hervir agua salada en una cazuela grande. Añada el zumo de limón y las espirales, y cuézalas hasta que estén al dente.

4 Escurra la pasta y mézclala con el

pescado. Vierta por encima la salsa y hornee durante otros 10 minutos.

5 Adorne el plato con patatas nuevas y remolacha hervidas y sirva.

VARIACIÓN

Puede utilizar cualquier tipo de pasta para esta receta. Pruebe con plumas, conchas rizadas o rigatoni.

Raviolis de lenguado y abadejo

Para 4 personas

INGREDIENTES

450 g de filetes de lenguado,
   sin piel
450 g de bacalao, sin piel
3 huevos batidos
450 g de ñoquis de patata
   cocidos (véase pág. 58)
175 g de pan rallado

50 ml de nata líquida espesa
450 g de masa básica para pasta
   (véase pág. 4)
300 ml de salsa italiana de vino
   tinto (véase pág. 52)

60 g de queso parmesano rallado
sal y pimienta

1 Desmenuce los filetes de pescado en un cuenco grande.

2 En otro cuenco, mezcle el huevo con los ñoquis, el pan rallado y la nata líquida. Añada el pescado y salpimente la mezcla al gusto.

3 Con el rodillo de cocina, extienda la pasta sobre una superficie ligeramente enharinada, y recorte círculos de 7,5 cm de diámetro.

4 Deposite una cucharada de relleno sobre cada redondel. Humedezca los bordes y dóblelos sobre el relleno.

5 Cueza los raviolis en agua salada hirviendo durante 15 minutos.

6 Escúrralos con una espumadera y páselos a una fuente de servir. Vierta por encima la salsa italiana de vino tinto, espolvoree con el parmesano y sirva inmediatamente.

SUGERENCIA

Si prefiere unos raviolis cuadrados, divida la pasta en dos. Extienda una mitad con el rodillo. Cúbrala con un paño de cocina limpio y humedecido mientras extiende la otra mitad.

Deposite el relleno a intervalos y pinte los huecos con huevo batido. Cubra con la segunda lámina de pasta y presione entre los montoncitos para sellar. Recorte los raviolis con un cuchillo.

Salmón escalfado con plumas

Para 4 personas

INGREDIENTES

4 rodajas de salmón fresco,
   de 275 g cada una
60 g de mantequilla
175 ml de vino blanco seco
sal marina
8 granos de pimienta negra
1 ramita de eneldo fresco
1 ramita de estragón fresco
1 limón cortado en rodajas

450 g de plumas
2 cucharadas de aceite de oliva
rodajas de limón y berros frescos,
   para adornar

SALSA DE LIMÓN Y BERROS:
25 g de mantequilla
25 g de harina
150 ml de leche caliente

el zumo y la ralladura fina de
   2 limones
60 g de berros picados
sal y pimienta

1 En una cazuela grande antiadherente, hierva el salmón con el vino, la mantequilla, una pizca de sal marina, la pimienta, el eneldo, el estragón y el limón. Tápelo y cuézalo a fuego suave 10 minutos.

2 Con una espumadera, retire el salmón de la cazuela. Quítele la piel y la espina central y manténgalo caliente. Cuele y reserve el líquido de cocción.

3 Ponga a hervir agua salada en una cazuela. Añada 1 cucharada de aceite y las plumas, y cuézalas durante 12 minutos. Escurra la pasta y rocíela con el resto del aceite. Póngala en una fuente, coloque encima el salmón y manténgalo caliente.

4 Para hacer la salsa, derrita la mantequilla y añada la harina, removiendo durante 2 minutos. Agregue la leche y unas 7 cucharadas del líquido de cocción reservado. Añada la ralladura y el zumo de limón, y cuézalo otros 10 minutos, removiendo.

5 Añada los berros y salpimente.

6 Vierta la salsa sobre la pasta y el pescado, adorne con rodajas de limón y berros frescos, y sírvalo inmediatamente.

Espaguetis con salmón ahumado

Para 4 personas

INGREDIENTES

450 g de espaguetis de trigo
   sarraceno
2 cucharadas de aceite de oliva
90 g de queso feta desmenuzado
sal

hojas de cilantro o perejil fresco,
   para adornar

SALSA:
300 ml de nata líquida espesa
150 ml de whisky o brandi
125 g de salmón ahumado
una pizca de cayena molida

pimienta negra
2 cucharadas de cilantro o perejil
   fresco picado

1 Ponga a hervir agua ligeramente salada en una cazuela grande. Añada 1 cucharada de aceite de oliva y los espaguetis, y cuézalos hasta que estén *al dente*. Escúrralos y vuelva a ponerlos en la cazuela con el resto del aceite. Tápela y resérvelos calientes.

2 Vierta la nata líquida en un cazo pequeño y caliéntela sin dejar que llegue a hervir. Caliente el whisky o el brandi en otro cazo, sin que hierva. Retire ambos cazos del fuego y mezcle su contenido.

3 Corte el salmón ahumado en tiras delgadas y sumérjalo en el líquido. Condimente con la pimienta negra y la cayena. Justo antes de servir, añada el cilantro o el perejil picado.

4 Pase los espaguetis a una fuente de servir caliente, vierta la salsa de salmón encima y mézclela bien con la pasta con 2 tenedores grandes. Espolvoree con el queso feta, adorne con las hojas de cilantro o perejil, y sirva inmediatamente.

SUGERENCIA

Sirva este suculento y lujoso plato con una ensalada verde con aliño de limón.

Trucha con pasta, anchoas y beicon ahumado

Para 4 personas

INGREDIENTES

4 truchas de 275 g cada una,
    limpias y evisceradas
12 anchoas en aceite, escurridas
    y picadas
2 manzanas peladas, sin corazón
    y cortadas en rodajas
4 ramitas de menta fresca

el zumo de 1 limón
12 lonchas de beicon ahumado
    graso, sin la corteza
mantequilla, para engrasar
450 g de *tagliatelle*
1 cucharada de aceite de oliva
sal y pimienta

PARA DECORAR:
2 manzanas, sin el corazón
    y cortadas en rodajas
4 ramitas de menta fresca

1 Abra las truchas y lávelas por dentro con agua salada caliente.

2 Salpimente el interior de las truchas y rellénelas con las anchoas, las rodajas de manzana y las ramitas de menta. Rocíe el interior de cada cavidad con zumo de limón.

3 Con cuidado, albarde cada trucha, en espiral, dejando la cabeza y la cola libres, con 3 lonchas de beicon ahumado.

4 Disponga el pescado sobre una bandeja de hornear honda y engrasada, con los extremos de las lonchas de beicon hacia abajo. Sazone con pimienta negra y ase las truchas durante unos 20 minutos en el horno precalentado a 200 ºC, dándole la vuelta al cabo de 10 minutos.

5 Ponga a hervir agua salada en una cazuela grande. Añada el aceite de oliva y los *tagliatelle*, y cuézalos unos 12 minutos, hasta que estén *al dente*. Escúrralos bien y póngalos en una fuente caliente.

6 Retire las truchas del horno y colóquelas sobre los tallarines. Adorne con rodajas de manzana y ramitas de menta fresca, y sirva el plato directamente.

Lacitos con pescado y marisco variado

Para 4 personas

INGREDIENTES

12 langostinos crudos

12 gambas crudas

125 g de gambas de agua dulce

450 g de filetes de besugo

60 g de mantequilla

12 vieiras, sin concha

el zumo y la ralladura fina de
    1 limón

una pizca de hebras de azafrán,
    o molido

1 litro de caldo de verduras

150 ml de vinagre de pétalos
    de rosa (véase pág. 98)

450 g de lacitos

1 cucharada de aceite
    de oliva

150 ml de vino blanco

1 cucharada de granos de
    pimienta rosa

115 g de zanahorias miniatura

150 ml de nata líquida espesa
    o queso fresco para untar

sal y pimienta

perejil fresco, para adornar

1 Pele las gambas y los langostinos y quíteles el hilo intestinal. Derrita la mantequilla en una sartén, y rehogue el besugo, las vieiras, las gambas y los langostinos, 1-2 minutos.

2 Sazone con pimienta negra. Añada el zumo y la ralladura de limón. Ponga el azafrán en el jugo de cocción, con cuidado (no directamente sobre el pescado).

3 Retire el pescado de la sartén, resérvelo y manténgalo caliente.

4 Vuelva a poner la sartén al fuego, y vierta el caldo vegetal. Hiérvalo hasta que se reduzca $1/3$. Agregue el vinagre de pétalos de rosa y cuézalo durante 4 minutos más.

5 Ponga a hervir agua salada en una cazuela. Añada aceite de oliva y los lacitos, y cuézalos hasta que estén al dente. Escurra la pasta, pásela a una fuente y ponga encima el pescado.

6 Añada el vino, los granos de pimienta y las zanahorias a la sartén, y reduzca la salsa durante 6 minutos. Agregue la nata líquida o el queso fresco, y déjelo a fuego suave otros 2 minutos. Vierta la salsa sobre la pasta y el pescado, adorne y sírvalo caliente.

Lasaña de marisco

Para 4 personas

INGREDIENTES

450 g de merluza ahumada,
sin piel y desmenuzada
115 g de gambas
115 g de filete de lenguado, sin
piel y cortado en lonchas
el zumo de 1 limón
60 g de mantequilla

3 puerros cortados en rodajitas
muy finas
60 g de harina
unos 600 ml de leche
2 cucharadas de miel líquida
200 g de mozzarella rallada

450 g de lasaña precocinada
60 g de queso parmesano recién
rallado
pimienta negra

1 Ponga la merluza
ahumada, las gambas y
el filete de lenguado en un
cuenco grande, y sazone
con pimienta negra y
zumo de limón. Resérvelo
mientras prepara la salsa.

2 Derrita la mantequilla
en una cazuela grande
y saltee los puerros durante
8 minutos, removiendo.
Añada la harina y rehogue
1 minuto más, sin dejar
de remover. Vierta la leche
poco a poco, hasta obtener
una salsa espesa y cremosa.

3 Agregue la miel y la
mozzarella, y cuézala
3 minutos más. Retírela
del fuego y mézclela con
el pescado y las gambas.

4 En una fuente para el
horno, vaya poniendo
capas alternas de relleno de
pescado y láminas de lasaña,
terminando con una de
pescado. Espolvoree con el
parmesano y cuézalo unos
30 minutos en el horno
precalentado a 180 °C. Sirva
la lasaña caliente, recién
salida del horno.

VARIACIÓN

*Si quiere una salsa de sidra,
sustituya el puerro por
1 chalote picado muy fino, y
la leche, por 300 ml de sidra
y 300 ml de nata líquida
espesa, y ponga
1 cucharadita de mostaza en
lugar de miel. Si le apetece
una salsa toscana, sustituya
el puerro por 1 bulbo de
hinojo finamente picado
y omita la miel.*

Espaguetis con salsa de marisco

Para 4 personas

INGREDIENTES

225 g de espaguetis, en trozos de 15 cm	115 g de tirabeques	2 cucharadas de perejil fresco picado
2 cucharadas de aceite de oliva	60 g de mantequilla	25 g de queso parmesano recién rallado
300 ml de caldo de pollo	1 cebolla cortada en rodajas	
1 cucharadita de zumo de limón	225 g de calabacines cortados en rodajas	½ cucharadita de pimentón
1 coliflor pequeña en ramitos	1 diente de ajo picado	sal y pimienta
2 zanahorias cortadas en rodajas finas	350 g de gambas cocidas, peladas	4 gambas cocidas sin pelar, para adornar

1 Ponga a hervir agua ligeramente salada en una cazuela grande. Añada 1 cucharada de aceite de oliva y los espaguetis, y cuézalos hasta que estén *al dente*. Escurra la pasta, mézclela con el resto del aceite y resérvela caliente.

2 Ponga a hervir el caldo de pollo con el zumo de limón. Añada la coliflor y las zanahorias, y cuézalas

3-4 minutos. Retírelas de la cazuela y resérvelas. Cueza los tirabeques 1-2 minutos, y resérvelos con las demás verduras.

3 Derrita la mitad de la mantequilla en una sartén, y saltee la cebolla y el calabacín 3 minutos. Añada el ajo y las gambas, y rehogue 2-3 minutos más. Incorpore las verduras reservadas y caliéntelo todo

bien. Salpimente al gusto y añada el resto de la mantequilla.

4 Pase los espaguetis a una fuente de servir caliente. Mézclelos con la salsa y el perejil picado hasta que estén bien recubiertos. Espolvoree con el parmesano y el pimentón, adorne con las gambas sin pelar, y sirva inmediatamente.

Macarrones con gambas al horno

Para 4 personas

INGREDIENTES

350 g de macarrones cortos
1 cucharada de aceite de oliva,
  y un poco más para untar
90 g de mantequilla, y un poco
  más para engrasar
2 bulbos de hinojo pequeños,
  cortados en rodajitas finas
  y con los tallos reservados

175 g de champiñones cortados
  en láminas finas
175 g de gambas cocidas
  y peladas
una pizca de cayena molida
300 ml de salsa bechamel
  (véase sugerencia)
60 g de queso parmesano rallado

2 tomates grandes, cortados
  en rodajas
1 cucharadita de orégano seco
sal y pimienta

1 Ponga a hervir agua salada en una cazuela. Añada aceite de oliva y los macarrones, y cuézalos hasta que estén *al dente*. Escúrralos, devuélvalos a la cazuela, y mézclelos con 25 g de mantequilla. Resérvelos calientes.

2 Fría el hinojo con el resto de la mantequilla, 3-4 minutos. Agregue los champiñones y rehogue 2 minutos más. Añada las gambas y retírelo del fuego.

3 Ponga en una fuente para el horno engrasada la pasta, la cayena y la mezcla de gambas, junto con la salsa bechamel. Espolvoree con el parmesano y coloque las rodajas de tomate alrededor. Unte los tomates con aceite de oliva y esparza el orégano seco por encima.

4 Cuézalo 25 minutos en el horno precalentado a 180 °C, hasta que esté dorado, y sírvalo caliente.

SUGERENCIA

Para la salsa bechamel, derrita 25 g de mantequilla, añada 25 g de harina y rehogue durante 2 minutos. Gradualmente, añada 300 ml de leche caliente, 2 cucharaditas de cebolla muy picada, 5 granos de pimienta blanca y perejil. Sazone con sal, tomillo y nuez moscada rallada. Remueva a fuego suave 15 minutos. Cuele la salsa.

Hatillos de pasta

Para 4 personas

INGREDIENTES

450 g de *fettuccine*	4 cucharadas de aceite de oliva	2 dientes de ajo chafados
150 ml de pesto	virgen extra	125 ml de vino blanco seco
(véase pág. 12)	750 g de gambas grandes crudas,	sal y pimienta
	peladas y sin el hilo intestinal	gajos de limón, para servir

1 Recorte 4 cuadrados de papel vegetal de 30 cm.

2 Ponga a hervir agua ligeramente salada en una cazuela grande. Añada los *fettuccine* y cuézalos durante 2-3 minutos, sólo hasta que se hayan ablandado. Escúrralos y resérvelos calientes.

3 Mezcle los *fettuccine* con la mitad del pesto. Extienda los recuadros de papel y ponga 1 cucharadita de aceite de oliva en el centro de cada uno de ellos. Divida los *fettuccine* y repártalos entre los 4 papeles, y haga lo mismo con las gambas.

4 Mezcle el resto del pesto con el ajo, y ponga cucharadas sobre las gambas. Sazone con sal y pimienta negra, y rocíe con el vino blanco.

5 Humedezca los bordes del papel parafinado y levántelos hacia arriba sin apretar, retorciéndolos para sellar el hatillo.

6 Colóquelos en una bandeja para el horno engrasada y cuézalos unos 10-15 minutos en el horno precalentado a 200 °C. Pase los hatillos a 4 platos individuales, y sírvalos inmediatamente.

SUGERENCIA

La forma de hatillo que se da tradicionalmente a estos paquetitos de pasta se consigue mejor con papel vegetal que con papel de aluminio.

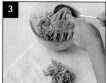

Bogavante a la mantequilla con lacitos

Para 4 personas

INGREDIENTES

2 bogavantes de 700 g cada uno,
  partidos a lo largo
el zumo y la ralladura de 1 limón
115 g de mantequilla
4 cucharadas de pan rallado
2 cucharadas de brandi

5 cucharadas de nata líquida
  o fresca espesa
450 g de lacitos
1 cucharada de aceite de oliva
60 g de queso parmesano rallado
sal y pimienta

PARA DECORAR:
1 kiwi cortado en rodajas
4 gambas grandes cocidas,
  sin pelar
ramitas de eneldo fresco

1 Limpie los bogavantes y evíscerelos. Extraiga la carne de la cola y píquela. Rompa las pinzas y las patas, extraiga la carne y píquela. Pase la carne a un cuenco, y agregue el zumo y la ralladura de limón.

2 Meta los caparazones en el horno a 170 ºC, para que se sequen.

3 Derrita 25 g de mantequilla en una sartén, y fría el pan rallado unos 3 minutos, hasta que esté crujiente y dorado.

4 Derrita el resto de la mantequilla en otra sartén, y saltee la carne de bogavante a fuego suave. Vierta el brandi y rehogue 3 minutos más; después, agregue la nata y salpimente al gusto.

5 Ponga a hervir agua ligeramente salada en una cazuela grande. Añada el aceite de oliva y los lacitos, y cuézalos durante unos 12 minutos, hasta que estén al dente. Escúrralos y, con una cuchara, repártalos entre los caparazones limpios. Ponga por encima la carne de bogavante a la mantequilla, y espolvoree con el parmesano y el pan rallado. Déjelos bajo el grill durante 2-3 minutos, hasta que se doren.

6 Pase los bogavantes a una fuente de servir caliente, adórnelos y sírvalos inmediatamente.

Conchas de pasta con mejillones

Para 4–6 personas

INGREDIENTES

1,25 kg de mejillones
225 ml de vino blanco seco
2 cebollas grandes, picadas
115 g de mantequilla sin sal

6 dientes de ajo grandes,
  finamente picados
5 cucharadas de perejil fresco
  picado
300 ml de nata líquida espesa
400 g de conchas de pasta

1 cucharada de aceite de oliva
sal y pimienta
pan crujiente, para servir

1 Limpie los mejillones bajo el chorro de agua fría y quíteles las barbas. Deseche los que no se cierren al golpearlos. Ponga los mejillones en una cazuela, con el vino y la mitad de la cebolla. Tápela y cuézalos a fuego medio, agitando la cacerola con frecuencia, hasta que se abran.

2 Escúrralos y reserve el líquido de cocción. Tire los que no se hayan abierto. Cuele el líquido y resérvelo.

3 Saltee el resto de la cebolla con la mantequilla 2-3 minutos. Añada el ajo y rehogue 1 minuto más. Agregue el líquido de cocción, poco a poco, el perejil y la nata. Salpimente y déjelo a fuego suave.

4 Cueza la pasta en agua salada con aceite hasta que esté *al dente*. Escúrrala y vuelva a ponerla en la cazuela; resérvela caliente.

5 Saque los mejillones de sus valvas, reservando

algunos para adornar. Póngalos en la salsa cremosa y caliéntelos brevemente. Pase la pasta a una fuente de servir. Vierta por encima la salsa y mezcle bien. Adorne con los mejillones reservados y sírvalo con pan caliente y crujiente.

SUGERENCIA

Las conchas de pasta son ideales porque su parte cóncava recoge la salsa y se impregnan de sabor.

Tagliatelle con mejillones al azafrán

Para 4 personas

INGREDIENTES

1 kg de mejillones	300 ml de nata líquida espesa	sal y pimienta
150 ml de vino blanco	una pizca de hebras de azafrán,	3 cucharadas de perejil fresco,
1 cebolla mediana, finamente	o molido	para adornar
picada	1 yema de huevo	
25 g de mantequilla	el zumo de ½ limón	
2 dientes de ajo chafados	450 g de tagliatelle	
2 cucharaditas de harina de maíz	1 cucharada de aceite de oliva	

1 Limpie los mejillones bajo el grifo de agua fría y quíteles las barbas. Deseche los que no se cierren al golpearlos. Póngalos en una cazuela con el vino y la cebolla. Tápela y cuézalos, a fuego vivo, hasta que las valvas se abran.

2 Escúrralos y cuele el caldo de cocción. Elimine los que no se hayan abierto. Reserve algunos para decorar y saque el resto de sus valvas.

3 Ponga a hervir el caldo de los mejillones en una cazuela y deje que se reduzca a la mitad.

4 Derrita la mantequilla en una cazuela y dore el ajo. Añada la harina de maíz rehogue durante 1 minuto, removiendo. Poco a poco, agregue el caldo reservado y la nata líquida. Maje las hebras de azafrán y póngalas en la cazuela. Salpimente al gusto y cueza la salsa a fuego suave durante 2-3 minutos, hasta que se espese.

5 Incorpore la yema de huevo, el zumo de limón y los mejillones. No deje que hierva.

6 Ponga a hervir agua salada en una cazuela. Añada un poco de aceite y la pasta, y cuézala hasta que esté tierna. Escúrrala y pásela a una fuente de servir. Añada la salsa con los mejillones, y mezcle bien. Sirva el plato de inmediato, adornado con el perejil y los mejillones reservados.

Vieiras con pasta al horno

Para 4 personas

INGREDIENTES

12 vieiras	150 ml de caldo de pescado	sal y pimienta
3 cucharadas de aceite de oliva	1 cebolla picada	pan integral crujiente, para servir
350 g de caracoles de pasta integral	el zumo y la ralladura fina de 2 limones	
	150 ml de nata líquida espesa	
	225 g de queso cheddar rallado	

1 Abra las vieiras y límpielas bien, retirando todo lo viscoso. Reserve la parte blanca (la carne) y la coral rosada. Con cuidado, desprenda las vieiras de la concha con un cuchillo corto pero fuerte.

2 Limpie las conchas y séquelas. Déjelas en una bandeja para el horno, rocíelas con unos ⅔ del aceite de oliva y reserve.

3 Mientras tanto, ponga a hervir agua salada en una cazuela grande. Añada el resto del aceite de oliva y los caracoles, y cuézalos durante unos 12 minutos, hasta que estén al dente. Escúrralos y deposite unos 25 g de pasta en cada concha.

4 Disponga las vieiras, el caldo de pescado y la cebolla en otra fuente para el horno, y salpimente al gusto. Cubra la fuente con papel de aluminio y déjela en el horno precalentado a 180 °C durante unos 8 minutos.

5 Saque la fuente del horno, retire el papel y, con una espumadera, ponga una vieira y cebolla en cada concha. Vierta 1 cucharada del caldo de cocción por encima, rocíe con zumo de limón y un poco de nata líquida, y espolvoree queso rallado.

6 Suba la temperatura a 230 °C y hornee las vieiras durante 4 minutos. Sírvalas en la concha, acompañadas con pan integral crujiente y mantequilla.

Fideos con almejas

Para 4 personas

INGREDIENTES

400 g de fideos finos, espaguetis
  o alguna otra pasta alargada
2 cucharadas de aceite de oliva
25 g de mantequilla
2 cebollas picadas
2 dientes de ajo picados

2 latas de almejas en salmuera
  de 200 g cada una
125 ml de vino blanco
4 cucharadas de perejil fresco
  picado
½ cucharadita de orégano seco

una pizca de nuez moscada
  recién molida
sal y pimienta

PARA DECORAR:
ramitas de albahaca fresca

1 Ponga a hervir agua ligeramente salada en una cazuela grande. Añada la mitad del aceite de oliva y la pasta, y cuézala hasta que esté al dente. Escúrrala, póngala en la cazuela y añada la mantequilla. Tápela y manténgala caliente.

2 Caliente el resto del aceite en una cazuela a fuego medio, y fría la cebolla hasta que esté transparente. Añada el ajo y rehogue 1 minuto más.

3 Cuele el líquido de 1 lata de almejas y agréguelo a la cazuela, junto con el vino. Remueva, déle un hervor y luego baje la temperatura para que cueza 3 minutos más. Escurra la segunda lata de almejas y deseche el líquido.

4 Incorpore las almejas, el perejil y el orégano en la cazuela, y sazone con pimienta y nuez moscada. Baje la temperatura y deje cocer la salsa hasta que esté bien caliente.

5 Pase la pasta a una fuente de servir y vierta la salsa por encima. Adorne con la albahaca y sirva.

SUGERENCIA

Existen muchos tipos diferentes de almejas en casi todas las costas del mundo. Las que tradicionalmente se utilizan para esta receta son las más pequeñas, de 2,5 a 5 cm, que en Italia se conocen como vongole.

Estofado de calamar y macarrones

Para 4 personas

INGREDIENTES

225 g de macarrones cortos o
    algún otro tipo de pasta corta
7 cucharadas de aceite de oliva
2 cebollas cortadas en rodajas
350 g de calamar limpio, cortado
    en tiras de 4 cm

225 ml de caldo de pescado
150 ml de vino tinto
2 cucharadas de pasta de tomate
350 g de tomates, pelados
    y cortados en rodajitas
1 cucharadita de orégano seco

2 hojas de laurel
2 cucharadas de perejil fresco
    picado
sal y pimienta
pan crujiente, para servir.

1 Ponga a hervir agua salada en una cazuela grande. Añada 1 cucharada de aceite y la pasta, y cuézala durante 3 minutos. Manténgala caliente.

2 Fría la cebolla con el resto del aceite. Añada el calamar y el caldo, y rehogue a fuego suave 5 minutos. Vierta el vino y agregue el tomate, la pasta de tomate, el orégano y el laurel. Déle un hervor a la salsa, salpimiente y déjela cocer 5 minutos más.

3 Ponga la pasta en la cazuela, tápela y cuézalo a fuego suave durante unos 10 minutos, o hasta que el calamar y los macarrones estén tiernos, y la salsa se espese. Si estuviera demasiado líquida, destape la cazuela y deje que cueza unos minutos más.

4 Retire el laurel y añada un poco de perejil. Pase la pasta a una fuente caliente, esparza el resto del perejil por encima y sírvala con pan crujiente.

SUGERENCIA

Para preparar el calamar, retire la piel exterior y después separe la cabeza y los tentáculos. Extraiga la pluma del cuerpo y deséchela. Retire el saco de tinta y déle la vuelta al cuerpo, de dentro a fuera. Lávelo con agua fría. Recorte los tentáculos y deseche las vísceras; lávelo de nuevo.

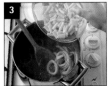

Verduras y ensaladas

Las recetas de este capítulo ofrecen algo especial para cada ocasión: cenas vegetarianas para saciar el apetito, originales guarniciones de verduras, platos principales y ensaladas para acompañar. Incluso podría llevar a una merienda campestre muchas de las ensaladas, que, por supuesto, acompañarán también perfectamente una barbacoa estival. Algunas son platos clásicos, como los fettuccine all'Alfredo, los espaguetis al ajo y aceite, el "paja y heno", y la ensalada de pasta y arenques. Otras son imaginativas y a veces sorprendentes combinaciones de verduras y pasta. Pruebe los espaguetis a la mediterránea, la lasaña de setas silvestres, los raviolis rellenos de verduras y la ensalada de pasta y carne para una comida familiar. Los linguine con hinojo braseado, la ensalada de queso de cabra con plumas y nueces, y la ensalada de pasta con mayonesa de ajo son unos platos fabulosos para acompañar, y deleitar también su paladar.

Fettuccine all'Alfredo

Para 4 personas

INGREDIENTES

25 g de mantequilla	90 g de queso parmesano rallado,	sal y pimienta
200 ml de nata líquida espesa	y un poco más para servir	ramitas de perejil fresco,
460 g de *fettuccine* frescos	una pizca de nuez moscada	para adornar
1 cucharada de aceite de oliva	recién rallada	

1 Ponga a hervir la mantequilla y 150 ml de nata líquida en una cazuela grande, a fuego moderado. Baje la temperatura y déjelo cocer 1½ minutos, o hasta que se haya espesado un poco.

2 Mientras tanto, ponga agua para cocer la pasta en una cazuela grande, con un poco de sal. Cuando hierva añada aceite de oliva y los *fettucine*, y cuézalos durante 2-3 minutos, hasta que estén *al dente*. Escurra la pasta y vierta por encima la salsa cremosa.

3 Ayudándose con un par de tenedores, remueva bien los *fettuccine* con la salsa, a fuego lento, hasta que estén bien recubiertos.

4 Agregue el resto de la nata, el parmesano y la nuez moscada, y salpimente al gusto. Mezcle bien mientras se calienta.

5 Pase los *fettuccine* a una fuente de servir caliente, y adorne con las ramitas de perejil fresco. Sirva el plato de inmediato, espolvoreado con queso parmesano rallado.

VARIACIÓN

Este plato es un clásico de la cocina romana que se suele servir también con unas tiras de jamón y guisantes frescos. Añada 225 g de guisantes cocidos y 175 g de jamón en tiras junto con el queso parmesano, en el paso 4.

Macarrones al horno

Para 4 personas

INGREDIENTES

460 g de macarrones cortos	460 g de patatas cortadas	150 ml de nata líquida espesa
1 cucharada de aceite de oliva	en rodajas finas	sal y pimienta
60 g de grasa de un asado de	460 g de cebollas cortadas	pan integral crujiente y
carne de buey	en rodajas	mantequilla, para servir
	225 g de mozzarella rallada	

1 Ponga a hervir agua ligeramente salada en una cazuela grande. Añada el aceite de oliva y los macarrones, y cuézalos unos 12 minutos, hasta que estén al dente. Escurra bien la pasta y resérvela.

2 Derrita la grasa de carne en una cazuela grande, y después retírela del fuego.

3 En una cazuela refractaria o una fuente para el horno, ponga capas alternas de patata, cebolla, macarrones y queso rallado.

Salpimente bien cada capa. Cuando haya extendido la última, espolvoree con mozzarella. Por último, vierta la nata líquida sobre el queso.

4 Cueza los macarrones durante 25 minutos en el horno precalentado a 200 °C. Después, dore la corteza bajo el grill.

5 Sirva los macarrones directamente de la fuente, como plato principal, acompañados con pan integral crujiente y mantequilla. También constituirían una buena guarnición para un plato principal.

VARIACIÓN

Si desea un sabor más intenso, utilice mozzarella affumicata, una versión ahumada de este queso, o bien gruyère, en lugar de mozzarella.

Pasta cremosa con brécol

Para 4 personas

INGREDIENTES

60 g de mantequilla

1 cebolla grande finamente picada

450 g de cintas de pasta

460 g de brécol, cortado
en ramitos

150 ml de caldo de verduras
hirviendo

1 cucharada de harina

150 ml de nata líquida

60 g de mozzarella rallada

nuez moscada recién rallada

sal y pimienta blanca

rodajas de manzana frescas,
para adornar

1 Derrita la mitad de la mantequilla en una cazuela grande a fuego moderado, y saltee la cebolla durante 4 minutos.

2 Añada la pasta y el brécol, y rehogue otros 2 minutos, sin dejar de remover. Vierta el caldo vegetal, y cuézalo todo junto a fuego lento durante 12 minutos. Sazone con sal y pimienta blanca.

3 Mientras tanto, derrita la mantequilla restante en una cazuela a fuego medio. Añada la harina y rehogue 2 minutos. Vierta la nata líquida poco a poco, y caliéntelo sin dejar que llegue a hervir. Añada el queso rallado, sal y un poco de nuez moscada.

4 Escurra la pasta con brécol, y póngala en la cazuela de la salsa. Caliéntelo, removiendo de vez en cuando, unos 2 minutos. Disponga el plato en una fuente caliente, grande y honda, y sírvalo adornado con rodajas de manzana fresca.

VARIACIÓN

Este plato también quedaría delicioso, e igual de atractivo, con brécol sudafricano, que, aunque reciba este nombre, en realidad es una variedad de coliflor de color violáceo.

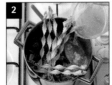

Paja y heno

Para 4 personas

INGREDIENTES

60 g de mantequilla
900 g de guisantes frescos,
pelados
200 ml de nata líquida espesa

460 g de espaguetis o *tagliatelle*
frescos, blancos y verdes
1 cucharada de aceite de oliva
una pizca de nuez moscada
recién rallada

60 g de queso parmesano rallado,
y un poco más para servir
sal y pimienta

1 Derrita la mantequilla en una cazuela grande. Añada los guisantes y rehogue, a fuego lento, durante 2-3 minutos.

2 Vierta 150 ml de la nata en la cazuela, déle un hervor y después baje la temperatura y cuézala 1-1½ minutos, hasta que se haya espesado un poco. Retire la cazuela del fuego.

3 Mientras tanto, ponga a hervir agua ligeramente salada en una cazuela grande. Añada el aceite de oliva y los espaguetis, y cuézalos hasta que estén *al dente*. Retire la cazuela del fuego, escurra bien la pasta y vuelva a ponerla en la cazuela.

4 Incorpore los guisantes y la salsa cremosa. Vuelva a poner la cazuela al fuego y añada el resto de la nata líquida y el queso parmesano. Sazone al gusto con sal, pimienta negra y nuez moscada.

5 Con 2 tenedores para pasta, revuelva con cuidado los espaguetis y mézclelos con los guisantes y la salsa, mientras se calientan todos los ingredientes.

6 Pase la pasta a una fuente y sírvala inmediatamente, con un poco de queso parmesano esparcido por encima.

Tallarines verdes al ajillo

Para 4 personas

INGREDIENTES

2 cucharadas de aceite de nuez	450 g de *tagliatelle* frescos,	4 cucharadas de nata líquida
1 manojo de cebolletas cortadas	blancos y verdes	60 g de pistachos sin sal, picados
en rodajas	1 cucharada de aceite de oliva	2 cucharadas de albahaca fresca
2 dientes de ajo cortados en	225 g de espinacas congeladas,	cortada en tiras finas
láminas finas	a temperatura ambiente y	sal y pimienta
250 g de champiñones cortados	escurridas	ramitas de albahaca fresca,
en láminas	115 g de queso cremoso al ajo	para adornar
	y a las hierbas	pan italiano, para servir

1 Caliente el aceite de nuez en una sartén grande, y fría la cebolleta y el ajo 1 minuto, hasta que empiecen a ablandarse.

2 Incorpore los champiñones, remueva bien, cúbralo y rehogue fuego suave durante unos 5 minutos.

3 Mientras tanto, ponga a hervir agua con sal en una cazuela grande. Añada el aceite de oliva y los *tagliatelle*, y cuézalos durante 3-5 minutos, hasta que estén al dente. Escurra la pasta y vuelva a ponerla en la cazuela.

4 Añada las espinacas a la sartén y caliéntelas 1-2 minutos. Incorpore el queso y deje que se funda ligeramente. Vierta la nata y siga rehogándolo todo junto, sin dejar que llegue a hervir, hasta que todos los ingredientes estén bien calientes.

5 Vierta el aderezo sobre los tagliatelle, sazone con sal y pimienta, y remueva bien. Caliéntelo a fuego suave, removiendo a menudo, 2-3 minutos.

6 Pase los *tagliatelle* a una fuente de servir caliente y esparza por encima los pistachos picados y las tiras de albahaca. Adorne con las ramitas de albahaca y sirva con el pan italiano de su elección.

Espaguetis al ajo y aceite

Para 4 personas

INGREDIENTES

125 ml de aceite de oliva	460 g de espaguetis frescos	sal y pimienta
3 dientes de ajo chafados	3 cucharadas de perejil fresco picado	

1 Reserve 1 cucharada del aceite de oliva y caliente el resto en una cazuela mediana. Añada el ajo y una pizca de sal, y rehogue a fuego suave, removiendo a menudo, hasta que se dore. Después, retire la cazuela del fuego. No deje que el ajo se queme, ya que se estropearía el sabor (si llegara a quemarse, tendrá que empezar de nuevo).

2 Ponga a hervir agua ligeramente salada en una cazuela grande. Añada el resto del aceite de oliva y los espaguetis, y cuézalos durante 2-3 minutos, hasta que estén al dente. Escúrralos bien y vuelva a ponerlos en la cazuela.

3 Vierta el aceite al ajo sobre los espaguetis y remueva para que queden bien recubiertos. Sazone con pimienta, añada el perejil picado y revuelva bien.

4 Pase los espaguetis a una fuente caliente y sírvalos de inmediato.

SUGERENCIA

Para preparar platos como éste, merece la pena usar aceite de oliva de la mejor calidad. El aceite de oliva virgen extra es el que se obtiene de la primera presión y, por tanto, tiene el menor grado de acidez. Es el más caro, pero el más sabroso. El aceite de oliva virgen es ligeramente más ácido, pero también tiene un estupendo sabor. El aceite etiquetado simplemente como "puro" suele haber sido tratado con calor y refinado por medios mecánicos; por lo tanto, le falta carácter y gusto.

Pasta patriótica

Para 4 personas

INGREDIENTES

460 g de lacitos	460 g de tomates cereza	sal y pimienta
4 cucharadas de aceite de oliva	90 g de ruqueta	queso pecorino, para adornar

1 Ponga a hervir agua con sal en una cazuela grande. Añada 1 cucharada de aceite de oliva y los lacitos, y cuézalos hasta que estén *al dente*. Escurra bien la pasta y vuelva a ponerla en la cazuela.

2 Corte los tomates cereza por la mitad y recorte los tallos de la ruqueta.

3 Caliente el resto del aceite en una cazuela grande, y saltee los tomates 1 minuto. Añada los lacitos y la ruqueta, y remueva suavemente. Caliéntelo bien y sazone con sal y pimienta negra.

4 Mientras tanto, con un pelapatatas, vaya sacando virutas del queso pecorino.

5 Pase la pasta a una fuente de servir caliente. Adorne con las virutas de queso y sirva inmediatamente.

SUGERENCIA

El pecorino es un queso duro elaborado con leche de oveja, parecido al parmesano y que, rallado, se utiliza para sazonar numerosos platos. De sabor intenso, se debe emplear con moderación.

SUGERENCIA

La ruqueta es una planta pequeña con hojas de forma irregular, parecidas a las del nabo. Tiene un característico sabor picante que recuerda ligeramente al rábano. Siempre se ha utilizado en Italia, tanto para ensaladas como para platos de pasta, y recientemente ha vuelto a cobrar popularidad en Europa y Estados Unidos, donde podría decirse que está de moda.

Espaguetis a la mediterránea

Para 4 personas

INGREDIENTES

2 cucharadas de aceite de oliva	2 cucharaditas de azúcar lustre	350 g de espaguetis
1 cebolla roja grande, picada	2 cucharadas de pasta de tomate	25 g de mantequilla
2 dientes de ajo chafados	1 lata de 400 g de corazones	sal y pimienta
1 cucharada de zumo de limón	de alcachofa, escurridos	ramitas de albahaca fresca,
2 berenjenas pequeñas, cortadas	y partidos por la mitad	para adornar
en cuartos	115 g de aceitunas negras	pan de aceitunas, para servir
600 ml de *passata*	deshuesadas	

1 Caliente 1 cucharada de aceite de oliva en una sartén grande. A fuego suave, rehogue la cebolla, el ajo, el zumo de limón y las berenjenas durante 4-5 minutos, hasta que las hortalizas estén ligeramente doradas.

2 Vierta la *passata* en la sartén, salpimente al gusto y añada el azúcar lustre y la pasta de tomate. Espere a que hierva, y luego reduzca la temperatura y cuézalo a fuego lento, durante unos 20 minutos, removiendo de vez en cuando.

3 Con cuidado, agregue los corazones de alcachofa y las aceitunas negras, y cuézalo durante otros 5 minutos.

4 Mientras tanto, ponga a hervir agua con sal en una cazuela grande. Añada el resto del aceite y los espaguetis, y cuézalos 7-8 minutos, hasta que estén *al dente*.

5 Escurra bien los espaguetis y mézclelos con la mantequilla. Pase la pasta a una fuente grande.

6 Vierta la salsa de verduras sobre los espaguetis, adórnelos con las ramitas de albahaca fresca y sírvalos calientes, con pan de aceitunas.

Lasaña de espinacas y setas silvestres

Para 4 personas

INGREDIENTES

115 g de mantequilla, y un poco más para engrasar	450 g de espinacas cocidas, escurridas y picadas finas	60 g de harina
2 dientes de ajo finamente picados	225 g de queso cheddar rallado	600 ml de leche caliente
115 g de chalotes	1 cucharadita de nuez moscada recién rallada	60 g de queso cheshire rallado
225 g de setas, por ejemplo níscalos	1 cucharadita de albahaca fresca picada	8 láminas de lasaña precocinada
		sal y pimienta
		ensalada de berros, para servir

1 Engrase ligeramente una fuente para el horno.

2 Derrita 60 g de mantequilla en una cazuela. Añada el ajo, los chalotes y las setas, y saltee a fuego suave 3 minutos. Incorpore las espinacas, el queso cheddar, la nuez moscada y la albahaca. Salpimente bien y reserve.

3 Derrita el resto de la mantequilla en otra cazuela, a fuego suave. Añada la harina y rehogue 1 minuto. Vierta la leche poco a poco, y caliéntelo, removiendo sin parar, hasta que esté suave. Añada 25 g de queso cheshire y salpimente al gusto.

4 Extienda la mitad de la mezcla de setas y espinacas sobre la base de la fuente engrasada. Cúbralo con una capa de lasaña y después con la mitad de la salsa de queso. Repita la operación y espolvoree con el resto del queso. Cueza la lasaña 30 minutos en el horno precalentado a 200 °C y sírvala.

VARIACIÓN

Sustituya las espinacas por 4 pimientos. Áselos durante 20 minutos en el horno precalentado a 200 °C, frote la piel bajo el chorro de agua fría para retirarla, extraiga las semillas y pique la pulpa.

Raviolis de hortalizas

Para 4 personas

INGREDIENTES

450 g de masa básica para pasta
(véase pág. 4)
1 cucharada de aceite de oliva
90 g de mantequilla
150 ml de nata líquida
75 g de queso parmesano recién
rallado

RELLENO:
2 berenjenas grandes
3 calabacines grandes
6 tomates grandes
1 pimiento verde grande
1 pimiento rojo grande
3 dientes de ajo
1 cebolla grande

120 ml de aceite de oliva
60 g de pasta de tomate
½ cucharadita de albahaca
fresca picada
sal y pimienta
1 ramita de albahaca fresca,
para adornar

1 Para hacer el relleno, corte las berenjenas y los calabacines en dados de 2,5 cm. Espolvoree la berenjena con sal y déjela reposar 20 minutos. Escúrrala con agua fría y séquela con papel de cocina.

2 Escalde los tomates en agua hirviendo. Quíteles la piel y pique la pulpa. Corte los pimientos, sin semillas ni pulpa blanca, en dados de 2,5 cm. Pique el ajo y la cebolla.

3 Caliente el aceite en una cazuela, y fría el ajo y la cebolla 3 minutos. Añada el resto de los ingredientes del relleno y salpimente. Cuézalo tapado, a fuego suave durante 20 minutos, removiendo con frecuencia.

4 Extienda la pasta con el rodillo y recorte círculos de 7,5 cm. Ponga 1 cucharada de relleno de verduras sobre cada redondel. Humedezca ligeramente los bordes y

dóblelos sobre el relleno, presionando con los dedos para cerrarlos.

5 Cueza los raviolis en agua salada hirviendo con aceite, 3-4 minutos. Escúrralos y páselos a una fuente para el horno; ponga un poco de mantequilla sobre cada capa de raviolis. Vierta la nata por encima y espolvoree con parmesano. Cuézalo 20 minutos en el horno precalentado a 200 °C; adorne y sirva.

Lasaña de calabacín y berenjena

Para 6 personas

INGREDIENTES

1 kg de berenjenas

8 cucharadas de aceite de oliva

25 g de mantequilla al ajo y
a las finas hierbas

450 g de calabacines cortados
en rodajas

225 g de mozzarella rallada

600 ml de *passata* (preparación
italiana de tomate triturado)

6 láminas de lasaña verde
precocinada

600 ml de salsa bechamel
(véase pág. 166)

60 g de queso parmesano recién
rallado

1 cucharadita de orégano seco

sal y pimienta negra

1 Corte las berenjenas en rodajas finas, espolvoréelas con sal y déjelas reposar 20 minutos. Lávelas y séquelas con papel de cocina.

2 Caliente 4 cucharadas de aceite en una sartén, y fría la mitad de las rodajas de berenjena a fuego suave durante 6-7 minutos, hasta que se doren. Escúrralas y fría de igual modo el resto de la berenjena.

3 Derrita la mantequilla con ajo y hierbas en una sartén, y rehogue el calabacín 5-6 minutos, hasta que esté dorado. Escúrralo bien.

4 Ponga la mitad de las rodajas de berenjena y de calabacín en una fuente grande para el horno. Sazone con sal y pimienta negra y espolvoree con la mitad de la mozzarella. Con una cuchara, deposite la mitad de la *passata* encima, y remate con 3 láminas de lasaña. Repita la operación hasta acabar la mezcla de verduras, terminando con una capa de lasaña.

5 Vierta por encima la bechamel y espolvoree con el parmesano y el orégano. Cueza la lasaña en el horno precalentado a 200 ºC, 30-35 minutos o hasta que esté dorada. Sírvala bien caliente.

Estofado de pasta y alubias

Para 6 personas

INGREDIENTES

225 g de alubias blancas secas, remojadas toda la noche y escurridas	2 hojas de laurel	250 g de tomates en rodajas
225 g de plumas	1 cucharadita de orégano seco	1 cucharadita de azúcar mascabado oscuro
6 cucharadas de aceite de oliva	1 cucharadita de tomillo seco	4 cucharadas de pan rallado
850 ml de caldo vegetal	5 cucharadas de vino tinto	sal y pimienta
2 cebollas grandes en rodajas	2 cucharadas de pasta de tomate	ensalada verde y pan crujiente,
2 dientes de ajo picados	2 tallos de apio en rodajas	para servir
	1 bulbo de hinojo en rodajas	
	115 g de champiñones en láminas	

1 Ponga las alubias en una cazuela grande, cúbralas con agua fría y cuézalas a fuego vivo durante 20 minutos. Escúrralas y resérvelas calientes.

2 En una cazuela, ponga a hervir agua con sal. Añada 1 cucharada de aceite de oliva y las plumas, y cueza la pasta durante unos 3 minutos. Escúrrala y resérvela caliente.

3 Ponga las alubias en una cacerola grande refractaria. Agregue el caldo de verduras, el resto del aceite de oliva, la cebolla, el ajo, las hojas de laurel, el orégano, el tomillo, el vino y la pasta de tomate. Llévelo a ebullición, tápelo y cuézalo en el horno precalentado a 180 °C durante 2 horas.

4 Incorpore las plumas, el apio, el hinojo, los champiñones y los tomates, y salpimente al gusto. Agregue el azúcar mascabado y espolvoree con el pan rallado. Tápelo y cuézalo durante 1 hora más.

5 Sirva el plato caliente, acompañado con ensalada verde y pan crujiente.

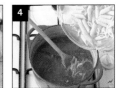

Espaguetis cremosos con champiñones

Para 4 personas

INGREDIENTES

60 g de mantequilla

2 cucharadas de aceite de oliva

6 chalotes cortados en rodajas

450 g de champiñones pequeños
cortados en láminas

1 cucharadita de harina

150 ml de nata líquida

2 cucharadas oporto

115 g de tomates secados al sol,
picados

nuez moscada recién rallada

450 g de espaguetis

1 cucharada de perejil fresco
picado

sal y pimienta

6 triángulos de pan de molde
blanco frito, para servir

1 Caliente la mantequilla y 1 cucharada de aceite en una cazuela grande, y sofría los chalotes a fuego medio 3 minutos. Añada los champiñones y saltee 2 minutos más. Salpimente, espolvoree con la harina y rehogue durante 1 minuto, removiendo a menudo.

2 Gradualmente, añada la nata líquida y el oporto. Incorpore los tomates secados al sol y una pizca de nuez moscada, y cuézalo a fuego suave durante 8 minutos.

3 Ponga a hervir agua ligeramente salada en una cazuela grande. Añada el resto del aceite de oliva y los espaguetis, y cuézalos durante 12-14 minutos, hasta que estén al dente.

4 Escúrralos bien y vuelva a poner la pasta en la cazuela. Vierta encima la salsa de champiñones y caliéntelo 3 minutos. Pase los espaguetis con su salsa a una fuente grande y espolvoree con el perejil picado. Sirva el plato con los triángulos de pan frito.

VARIACIÓN

Si lo desea, añada a la pasta 115 g de jamón curado, cortado en tiras delgadas y ligeramente salteado con 25 g de mantequilla, junto con la salsa de champiñones.

Salteado de pasta vegetal

Para 4 personas

INGREDIENTES

400 g de caracoles de pasta integral, o algún otro tipo de pasta pequeña	1 cebolla grande en rodajas finas	2 cucharadas de agua
1 cucharada de aceite de oliva	1 diente de ajo en láminas finas	3 cucharadas de salsa de soja
2 zanahorias en rodajas finas	3 tallos de apio en rodajas finas	3 cucharadas de jerez seco
115 g de mazorquitas	1 pimiento rojo pequeño, sin la pulpa blanca ni semillas, cortado en juliana	1 cucharadita de miel líquida
3 cucharadas de aceite de maíz	1 pimiento verde pequeño, sin la pulpa blanca ni semillas, cortado en juliana	un chorrito de salsa picante de pimienta (opcional)
1 trozo de jengibre fresco de 2,5 cm, cortado en rodajitas	1 cucharadita de harina de maíz	sal
		pimiento rojo, en rodajitas finas, para decorar

1 Ponga a hervir agua salada en una cazuela grande. Añada un poco de aceite de oliva y la pasta, y cuézala hasta que esté *al dente*. Escúrrala y manténgala caliente.

2 Cueza las zanahorias y las mazorquitas en agua hirviendo durante 2 minutos. Escúrralas, refrésquelas con agua fría y vuelva a escurrirlas.

3 Caliente el aceite de maíz en un wok precalentado o una sartén grande. Añada el jengibre y saltéelo a fuego medio durante 1 minuto. Retírelo con una espumadera y deséchelo.

4 Saltee en el wok la cebolla, el ajo, el apio y los pimientos, durante 2 minutos. Incorpore las zanahorias y las mazorcas, y saltee 2 minutos más. Añada la pasta escurrida.

5 Deslía la harina de maíz con agua hasta formar una pasta suave. Agregue la salsa de soja, el jerez y la miel. Vierta la mezcla sobre la pasta y saltee, removiendo de vez en cuando, 2 minutos. Añada la salsa de pimienta, si lo desea. Sirva el salteado en una fuente, adornado.

Tortitas de macarrones y maíz

Para 4 personas

INGREDIENTES

2 mazorcas de maíz
60 g de mantequilla
115 g de pimientos rojos, sin
    la pulpa blanca ni semillas,
    cortados en dados pequeños
285 g de macarrones cortos

150 ml de nata líquida espesa
25 g de harina
4 yemas de huevo
4 cucharadas de aceite de oliva
sal y pimienta

PARA SERVIR:
setas
puerros fritos

1 Ponga a hervir agua en una cazuela y cueza las mazorcas durante unos 8 minutos. Escúrralas y enfríelas bajo el grifo durante 3 minutos. Con cuidado, desgránelas, y reserve los granos mientras se secan.

2 Derrita 25 g de mantequilla en una sartén, y rehogue el pimiento a fuego suave durante 4 minutos. Escúrralo y séquelo con papel de cocina.

3 Ponga a hervir agua salada en una cazuela grande. Añada los macarrones y cuézalos durante unos 12 minutos, hasta que estén al dente. Escurra la pasta y resérvela sumergida en agua fría.

4 En un cuenco, bata la nata líquida con la harina, una pizca de sal y las yemas de huevo, hasta que esté suave. Añada el maíz y el pimiento. Escurra los macarrones y mézclelos con la salsa. Sazone bien

con pimienta negra, al gusto.

5 Caliente el resto de la mantequilla con el aceite en una sartén grande. Deje caer cucharadas de la mezcla en la sartén y, con una paleta, déles una forma redondeada. Fríalas hasta que estén doradas por ambos lados. Sirva las tortitas con setas y puerro fritos.

Tarta de fideos

Para 4 personas

INGREDIENTES

75 g de mantequilla, y un poco
  más para engrasar
225 g de fideos o espaguetis
1 cucharada de aceite de oliva
1 cebolla picada
140 g de champiñones pequeños

1 pimiento verde, sin la pulpa
  blanca ni semillas, cortado
  en rodajas finas
150 ml de leche
3 huevos ligeramente batidos
2 cucharadas de nata líquida
  espesa

1 cucharadita de orégano seco
nuez moscada recién rallada
1 cucharada de queso parmesano
  recién rallado
sal y pimienta
ensalada de tomate y albahaca,
  para servir

1 Engrase generosamente un molde para tartas de 20 cm, de base desmontable.

2 Ponga a hervir agua ligeramente salada en una cazuela grande. Añada los fideos y cuézalos hasta que estén *al dente*. Escurra la pasta, vuelva a ponerla en la cazuela, y mézclala bien con 2 cucharadas de la mantequilla.

3 Extienda la pasta sobre la base y los lados del molde, presionando.

4 Derrita el resto de la mantequilla en una sartén y saltee la cebolla hasta que esté trasparente.

5 Añada los champiñones y el pimiento, y rehogue durante 2-3 minutos, removiendo. Extienda el sofrito de manera uniforme en el centro de la pasta, presionando un poco.

6 Bata la leche con el huevo y la nata líquida, agregue el orégano y sazone con nuez moscada y pimienta negra. Con cuidado, vierta la mezcla sobre las verduras y espolvoree con el queso rallado.

7 Hornee la tarta durante 40-45 minutos en el horno precalentado a 180 °C, hasta que el relleno haya cuajado.

8 Saque la tarta del molde y sírvala caliente, acompañada con una ensalada de tomate y albahaca.

Fettuccine con salsa de aceitunas, ajo y nueces

Para 4-6 personas

INGREDIENTES

2 rebanadas gruesas de pan integral, sin la corteza

300 ml de leche

275 g de nueces sin cáscara

2 dientes de ajo chafados

115 g de aceitunas negras deshuesadas

60 g de queso parmesano rallado

8 cucharadas de aceite de oliva virgen extra

150 ml de nata líquida espesa

460 g de *fettuccine* frescos

sal y pimienta

2-3 cucharadas de perejil fresco picado

1 Ponga el pan en un plato llano, vierta la leche por encima y déjelo en remojo hasta que haya absorbido el líquido.

2 Extienda las nueces sobre una bandeja para el horno y tuéstelas a 190 °C unos 5 minutos, hasta que estén doradas. Luego, déjelas enfriar.

3 Ponga en una batidora el pan remojado en la leche, las nueces tostadas,

el ajo, las aceitunas, el queso parmesano y 6 cucharadas del aceite de oliva, y haga un puré. Salpimente y agregue la nata líquida.

4 Ponga a hervir agua ligeramente salada en una cazuela grande. Añada 1 cucharada del resto del aceite y los *fettuccine*, y cuézalos unos 2-3 minutos, hasta que estén *al dente*. Escurra bien la pasta y mézclela con el resto del aceite de oliva.

5 Reparta los *fettuccine* entre los platos, y ponga varias cucharadas de salsa por encima. Adorne espolvoreando con el perejil fresco.

Linguine con hinojo braseado

Para 4 personas

INGREDIENTES

6 bulbos de hinojo

150 ml de caldo de verduras

25 g de mantequilla

6 lonchas de beicon ahumado, sin corteza y cortadas en dados

6 chalotes cuarteados

25 g de harina

7 cucharadas de nata líquida espesa

1 cucharada de vino de Madeira

450 g de *linguine*

1 cucharada de aceite de oliva

sal y pimienta

1 Pele los bulbos de hinojo; despegue y reserve la capa más superficial. Corte los bulbos en cuartos y póngalos en una cazuela grande con el caldo de verduras y las capas reservadas. Déles un hervor, baje la temperatura y cuézalos 5 minutos.

2 Con una espumadera, pase el hinojo a una fuente grande. Deseche las capas exteriores. Vuelva a hervir el caldo hasta que se haya reducido a la mitad. Resérvelo.

3 Derrita la mantequilla en una sartén y rehogue el beicon y los chalotes 4 minutos. Añada la harina, el caldo, la nata líquida y el madeira, y cuézalo, removiendo a menudo, 3 minutos, hasta que la salsa esté suave. Salpimente al gusto y viértala sobre el hinojo.

4 Ponga a hervir agua salada en una cazuela. Añada el aceite de oliva y los *linguine*, y cuézalos unos 10 minutos, hasta que estén *al dente*. Escúrralos y páselos a una fuente para el horno.

5 Añada el hinojo y la salsa, y cuézalo durante 20 minutos en el horno precalentado a 180 ºC. Sírvalo directamente.

SUGERENCIA

El hinojo se conserva en el cajón de las verduras de la nevera 2-3 días, pero es mejor consumirlo lo más fresco posible. Las superficies cortadas enseguida se ennegrecen, así que no lo corte mucho antes de la cocción.

Berenjenas al horno con pasta

Para 4 personas

INGREDIENTES

225 de plumas o algún otro
tipo de pasta corta
4 cucharadas de aceite de oliva,
y un poco más para untar
2 berenjenas
1 cebolla grande picada

2 dientes de ajo chafados
1 lata de 400 g de tomate
triturado
2 cucharaditas de orégano seco
60 g de queso mozzarella
cortado en lonchitas

25 g de queso parmesano
recién rallado
2 cucharadas de pan rallado
sal y pimienta
ensalada verde, para servir

1 Ponga a hervir agua ligeramente salada en una cazuela. Añada 1 cucharada de aceite de oliva y la pasta, y cuézala hasta que esté *al dente*. Escúrrala, póngala en la cazuela y resérvela caliente.

2 Corte las berenjenas por la mitad a lo largo y, con cuidado, extraiga la pulpa con un cuchillo. Pinte el interior con aceite. Pique la pulpa y resérvela.

3 Saltee la cebolla con el resto del aceite hasta que esté trasparente. Añada el ajo y sofría 1 minuto más. Incorpore la berenjena picada y rehogue 5 minutos. Agregue el tomate, el orégano, sal y pimienta. Cuando hierva, baje la temperatura y cuézalo 10 minutos. Retire la salsa del fuego y mézclela con la pasta.

4 Unte una bandeja para el horno con aceite y disponga las berenjenas huecas en una sola fila. Reparta entre ellas la mitad de la pasta. Ponga por encima mozzarella, y después el resto de la pasta. Mezcle el parmesano con el pan rallado y espolvoree por encima.

5 Cueza las berenjenas 25 minutos en el horno precalentado a 200 ºC, hasta que estén doradas. Sírvalas con una ensalada verde.

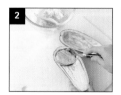

Pasta con aderezo de verduras

Para 4 personas

INGREDIENTES

225 g de gemelos o algún otro
    tipo de pasta
1 cucharada de aceite de oliva
1 brécol, cortado en ramitos
2 calabacines cortados en rodajas
225 g de espárragos
115 g de tirabeques

115 g de guisantes congelados
25 g de mantequilla
3 cucharadas de caldo
    de verduras
4 cucharadas de nata líquida
    espesa
nuez moscada recién rallada

2 cucharadas de perejil fresco
    picado
2 cucharadas de queso
    parmesano recién rallado
sal y pimienta

1 Ponga a hervir agua ligeramente salada en una cazuela grande. Añada el aceite de oliva y la pasta, y cuézala hasta que esté *al dente*. Escúrrala, vuelva a ponerla en la cazuela y manténgala caliente.

2 Cueza al vapor, sobre una cazuela con agua salada hirviendo, los calabacines, los espárragos y los tirabeques, hasta que empiecen a ablandarse. Retire la verdura del fuego, escúrrala y enfríela.

3 En un cazo, lleve agua ligeramente salada a ebullición, y cueza los guisantes durante 3 minutos. Escúrralos, refrésquelos bajo el chorro de agua fría y vuelva a escurrirlos. Resérvelos con las demás verduras.

4 Ponga la mantequilla y el caldo vegetal en una cazuela, a fuego medio. Añada todas las verduras, reservando algunos espárragos, y remueva hasta que estén bien calientes.

5 Agregue la nata líquida y caliente bien la salsa sin que llegue a hervir. Sazone con sal, pimienta y nuez moscada.

6 Disponga la pasta en una fuente de servir caliente y añada el perejil. Vierta por encima las verduras con su salsa y espolvoree con el parmesano. Adorne el plato con los espárragos reservados y sírvalo inmediatamente.

Ensalada niçoise con caracoles de pasta

Para 4 personas

INGREDIENTES

350 g de caracoles pequeños de pasta	2 lechugas pequeñas	VINAGRETA:
1 cucharada de aceite de oliva	460 g o 3 tomates grandes	50 ml de aceite de oliva virgen extra
115 g de judías verdes finas	4 huevos duros	25 ml de vinagre de vino blanco
1 lata de 50 g de anchoas, escurridas	1 lata de 225 g de atún, escurrido	1 cucharadita de mostaza de grano entero
25 ml de leche	115 g de aceitunas negras deshuesadas	sal y pimienta
	sal y pimienta	

1 Ponga a hervir agua ligeramente salada en una cazuela grande. Añada el aceite de oliva y la pasta, y cuézala hasta que esté *al dente*. Escúrrala y sumérjala en agua fría.

2 Cueza las judías en agua salada durante 10-12 minutos, hasta que estén tiernas pero no muy blandas. Escúrralas, páselas por agua fría, vuelva a escurrirlas y resérvelas.

3 Ponga las anchoas en un cuenco llano, con la leche, y déjelas reposar 10 minutos. Mientras tanto, parta las lechugas en trozos grandes. Escalde los tomates en agua hirviendo durante 1-2 minutos, escúrralos, quíteles la piel y corte la pulpa gruesa. Quite la cáscara de los huevos y córtelos en cuartos. Desmenuce el atún escurrido en trozos grandes.

4 Escurra las anchoas y la pasta. Ponga todos los ingredientes de la ensalada, las judías verdes y las aceitunas en una ensaladera, y remueva con cuidado.

5 Para hacer la vinagreta, bata juntos todos los ingredientes, y guárdela en la nevera hasta que la necesite. Justo antes de servir la ensalada, alíñela con la vinagreta.

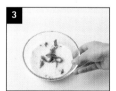

Ensalada de pasta y arenques

Para 4 personas

INGREDIENTES

250 g de cacaroles de pasta
5 cucharadas de aceite de oliva
400 g de arenques en salmuera
6 patatas hervidas
2 manzanas para asar grandes

2 lechugas rizadas pequeñas
2 remolachas pequeñas
4 huevos duros
6 cebollitas encurtidas
6 pepinillos

2 cucharadas de alcaparras
3 cucharadas de vinagre
al estragón
sal y pimienta

1 Ponga a hervir agua ligeramente salada en una cazuela grande. Añada 1 cucharada de aceite de oliva y la pasta, y cuézala hasta que esté al dente. Escúrrala bien y sumérjala en agua fría.

2 Corte los arenques, las patatas, las manzanas, las lechugas rizadas y las remolachas en trocitos pequeños. Ponga todos estos ingredientes en una ensaladera grande.

3 Escurra bien la pasta y pásela a la ensaladera.

Agite con suavidad para mezclar todos los ingredientes.

4 Quite la cáscara de los huevos, córtelos en rodajas y adorne con ellas la ensalada. Ponga también las cebollitas, los pepinillos y las alcaparras. Aliñe con aceite de oliva y el vinagre al estragón y sirva.

SUGERENCIA

Puede guardar esta ensalada en un recipiente en la nevera, sin aliñar.

SUGERENCIA

Encontrará vinagre al estragón en la mayoría de los supermercados, pero puede hacerlo usted mismo en casa.

Ponga un manojo de estragón fresco en una botella de vinagre de vino tinto o blanco, y déjelo en infusión 48 horas. Es importante que el estragón sea lo más fresco posible, y retirar cualquier hoja estropeada.

Ensalada napolitana de marisco con campanelle

Para 4 personas

INGREDIENTES

450 g de calamar limpio
y cortado en tiras
750 g de mejillones cocidos
450 de berberechos cocidos
en salmuera
150 ml de vino blanco

300 ml de aceite de oliva
225 g de *campanelle* o cualquier
otro tipo de pasta pequeña
el zumo de 1 limón
1 manojo de cebollino troceado
1 manojo de perejil fresco,
finamente picado

4 tomates grandes, cortados
en gajos o en rodajas
hojas de ensalada variada
sal y pimienta
ramitas de albahaca fresca,
para adornar

1 Ponga todo el marisco en un cuenco grande, vierta encima el vino y la mitad del aceite de oliva, y déjelo reposar 6 horas.

2 Introduzca la mezcla de marisco en una cazuela y cuézalo a fuego suave durante 10 minutos. Deje que se enfríe.

3 Ponga a hervir agua ligeramente salada en una cazuela grande. Añada 1 cucharada del resto del aceite de oliva y la pasta, y cuézala hasta que esté *al dente*. Escúrrala bien y sumérjala en agua fría.

4 Cuele la mitad del líquido de cocción del marisco sobre una cazuela, y deseche el resto. Agregue el zumo de limón, el cebollino y el perejil, así como el resto del aceite.

Salpimente. Escurra la pasta y mézclela con el marisco y su jugo.

5 Corte los tomates en cuartos, y las hojas de ensalada, en tiras finas. Extiéndalos sobre la base de una ensaladera. Deposite encima la ensalada de marisco y adorne con el tomate en cuartos o en rodajas y una ramita de albahaca.

Ensalada de pasta con col blanca y roja

Para 4 personas

INGREDIENTES

260 g de macarrones cortos
5 cucharadas de aceite de oliva
1 col lombarda grande, cortada en tiras finas

1 col blanca grande, cortada en tiras finas
2 manzanas grandes, cortadas en dados

260 g de beicon ahumado o jamón, frito y cortado en tiras
8 cucharadas de vinagre de vino
1 cucharadita de azúcar
sal y pimienta

1 Ponga a hervir agua ligeramente salada en una cazuela grande. Añada 1 cucharada de aceite de oliva y los macarrones, y cuézalos hasta que estén *al dente*. Escurra la pasta y sumérjala en agua fría. Vuelva a escurrirla y resérvela.

2 Ponga a hervir agua con sal en otra cazuela grande, y cueza las tiras de col lombarda durante 5 minutos. Escúrralas bien y déjelas enfriar.

3 Haga lo mismo con la col blanca. Escúrrala bien y deje que se enfríe.

4 En un cuenco grande, mezcle la pasta con la col lombarda y la manzana. En un cuenco aparte, mezcle la col blanca con el beicon o el jamón.

5 En otro cuenco, pequeño, mezcle el resto del aceite con el vinagre y el azúcar, y salpimente al gusto. Aderece con el aliño

el contenido de los dos cuencos y, por último, mezcle todos los ingredientes juntos y sirva la ensalada.

VARIACIÓN

Otro aliño para esta ensalada podría hacerse con 4 cucharadas de aceite de oliva, 4 de vinagre de vino tinto y 1 de azúcar. O bien, con 3 cucharadas de aceite de oliva y 1 cucharada de aceite de nuez o de avellana.

Ensalada de pasta, dolcelatte y nueces

Para 4 personas

INGREDIENTES

225 g de caracoles de pasta
1 cucharada de aceite de oliva
115 g de nueces sin cáscara,
    partidas por la mitad
225 g de queso dolcelatte,
    desmenuzado

hojas de ensalada mixta, como
    achicoria, escarola, ruqueta,
    berros o lechuga rizada
sal

ALIÑO:
2 cucharadas de aceite de nuez
4 cucharadas de aceite de oliva
    virgen extra
2 cucharadas de vinagre de vino
    tinto
sal y pimienta

1 Ponga a hervir agua ligeramente salada en una cazuela grande. Añada el aceite de oliva y la pasta, y cuézala hasta que esté *al dente*. Escúrrala, refréscala bajo el chorro de agua fría, vuelva a escurrirla bien y resérvela.

2 Extienda las mitades de nuez sobre una bandeja para el horno y tuéstelas bajo el grill precalentado 2-3 minutos. Deje que se enfríen antes de ponerlas en la ensalada.

3 Para hacer el aliño, mezcle los aceites y el vinagre en un cuenco pequeño, y sazone al gusto con sal y pimienta negra.

4 Disponga las hojas de ensalada en una ensaladera. Apile la pasta cocida en el centro, y espolvoree con el queso dolcelatte. Aliñe la ensalada, esparza las nueces tostadas y remueva para que todos los ingredientes tomen el sabor del aliño. Sirva inmediatamente.

SUGERENCIA

El dolcelatte es un queso italiano semiseco, con vetas azules. Es de textura cremosa y suave, y de sabor delicado, pero penetrante. Como alternativa, puede utilizar roquefort. En cualquier caso, escójalo siempre de la mejor calidad, y que se haya conservado en condiciones óptimas.

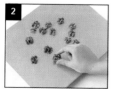

Ensalada de queso de cabra con plumas, peras y nueces

Para 4 personas

INGREDIENTES

260 g de plumas
5 cucharadas de aceite de oliva
1 achicoria, troceada
1 lechuga iceberg, troceada
7 cucharadas de nueces picadas
2 peras maduras, sin el corazón

1 ramita de albahaca fresca
1 manojo de berros, con los tallos recortados
2 cucharadas de zumo de limón
3 cucharadas de vinagre al ajo
4 tomates cuarteados

1 cebolla pequeña cortada en rodajas
1 zanahoria grande rallada
250 g de queso de cabra, cortado en dados
sal y pimienta

1 Ponga a hervir agua ligeramente salada en una cazuela grande. Añada 1 cucharada de aceite de oliva y las plumas, y cueza la pasta hasta que esté al dente. Escúrrala, pásela bajo el chorro de agua fría, vuelva a escurrirla, y deje que se enfríe.

2 Ponga la achicoria y la lechuga bien escurrida en una ensaladera grande, y mezcle bien. Deposite encima la pasta, las nueces picadas, las peras cortadas en dados, la albahaca y los berros.

3 En un tarro, mezcle el zumo de limón con el resto del aceite de oliva y el vinagre al ajo. Vierta el aliño sobre la ensalada y remueva con unos cubiertos de madera, hasta recubrir bien las hojas de ensalada y el resto de los ingredientes.

4 Añada los tomates, la cebolla, la zanahoria y el queso de cabra, y vuelva a remover bien para mezclar los ingredientes con el aliño. Deje la ensalada 1 hora en la nevera antes de servirla.

Ensalada de pasta y mayonesa al ajo

Para 4 personas

INGREDIENTES

2 lechugas grandes	el zumo de 4 limones	250 ml de mayonesa fresca al ajo
260 g de plumas	1 apio, cortado en rodajas	(véase sugerencia)
1 cucharada de aceite de oliva	115 g de nueces sin cáscara	sal
8 manzanas rojas	y partidas por la mitad	

1 Lave, escurra y seque con papel de cocina las hojas de lechuga. Déjelas en la nevera 1 hora, hasta que estén firmes.

2 Mientras tanto, ponga a hervir agua con sal en una cazuela grande. Añada un poco aceite de oliva y la pasta, y cuézala hasta que esté *al dente*. Escúrrala y pásela bajo el chorro de agua fría. Escúrrala bien de nuevo y resérvela.

3 Quite el corazón de las manzanas y córtelas en dados; póngalos en un bol y rocíe con el zumo de limón. Mezcle la pasta con el apio, la manzana y las nueces, y alíñela con la mayonesa al ajo (véase Sugerencia). Si lo desea, añada más mayonesa.

4 Ponga las hojas de lechuga en una ensaladera y, con una cuchara, vaya colocando la ensalada de pasta por encima. Sírvala.

SUGERENCIA

La manzana se rocía con zumo de limón para evitar que se ennegrezca.

SUGERENCIA

Para hacer la mayonesa casera al ajo, bata 2 yemas de huevo con una pizca de sal y 6 dientes de ajo chafados. Añada 350 ml de aceite de oliva, poco a poco, y siga batiendo con un batidor manual. Cuando haya incorporado una cuarta parte del aceite, agregue 1-2 cucharadas de vinagre de vino blanco. Siga batiendo y vertiendo el aceite, en un chorrito. Por último, añada 1 cucharadita de mostaza de Dijon y sazone al gusto.

Ensalada de espirales, aguacate, tomate y mozzarella

Para 4 personas

INGREDIENTES

2 cucharadas de piñones

175 g de espirales

1 cucharada de aceite de oliva

6 tomates

225 g de mozzarella

1 aguacate grande

2 cucharadas de zumo de limón

3 cucharadas de albahaca picada, y unas ramitas para adornar

ALIÑO:

6 cucharadas de aceite de oliva virgen extra

2 cucharadas de vinagre de vino blanco

1 cucharadita de mostaza de grano entero

sal y pimienta

una pizca de azúcar

1 Extienda los piñones sobre una bandeja para el horno y tuéstelos bajo el grill precalentado durante 1-2 minutos. Retírelos y deje que se enfríen.

2 Ponga a hervir agua ligeramente salada en una cazuela grande. Añada aceite de oliva y las espirales, y cuézalas hasta que estén al dente. Escurra la pasta y sumérjala en agua fría. Vuelva a escurrirla y deje que se enfríe.

3 Corte los tomates y la mozzarella en rodajas finas.

4 Corte el aguacate por la mitad, y retire el hueso y la piel. Córtelo en rodajitas a lo largo, y rócielo con zumo de limón para evitar que se ennegrezca.

5 Para hacer el aliño, bata todos los ingredientes en una batidora y sazone al gusto con sal y pimienta negra.

6 Disponga el tomate, la mozzarella y el aguacate alternadamente sobre una fuente de servir grande.

7 Mezcle la pasta con la mitad del aliño y la albahaca fresca picada, y sazone al gusto. Póngala en el centro de la fuente y vierta por encima el resto del aliño. Esparza los piñones tostados, adorne con las ramitas de albahaca fresca y sirva.

Tomates rellenos de pasta

Para 4 personas

INGREDIENTES

5 cucharadas de aceite de oliva
virgen extra, y un poco más
para engrasar

8 tomates redondos grandes

115 de pistones o algún otro tipo
de pasta muy pequeño

8 aceitunas negras, deshuesadas
y finamente picadas

2 cucharadas de albahaca fresca
finamente picada

1 cucharada de perejil fresco
finamente picado

60 g de queso parmesano recién
rallado

sal y pimienta

ramitas de albahaca fresca,
para decorar

1 Engrase una bandeja para el horno con aceite de oliva.

2 Rebane la parte superior de los tomates y resérvela porque servirá de "tapa". Si los tomates no se sostienen derechos, corte un poquito la base.

3 Extraiga la pulpa de los tomates sobre un colador, sin agujerear la piel. Ponga los tomates cabeza abajo y séquelos con papel de cocina.

4 Ponga a hervir agua ligeramente salada en una cazuela grande. Añada 1 cucharada del resto del aceite de oliva y la pasta, y cuézala hasta que esté *al dente*. Escúrrala, y deje que se enfríe.

5 Ponga las aceitunas, la albahaca picada, el perejil y el parmesano en un cuenco grande, y añada la pulpa de los tomates. Incorpore la pasta y el resto del aceite de oliva, y salpimente.

6 Con una cuchara, vaya rellenando los tomates y coloque la "tapa" encima. Dispóngalos sobre la fuente de hornear y déjelos en el horno precalentado a 190 °C durante unos 15-20 minutos.

7 Retire los tomates rellenos de pasta del horno y espere que se enfríen un poco. Colóquelos sobre una fuente, adórnelos con las ramitas de albahaca fresca y sírvalos.

Ensalada de pasta y carne

Para 4 personas

INGREDIENTES

450 g de carne de buey (cuarto
trasero o solomillo), en un
solo trozo
450 g de espirales
5 cucharadas de aceite de oliva
2 cucharadas de zumo de lima

2 cucharadas de salsa de pescado
tailandesa (véase sugerencia)
2 cucharaditas de miel líquida
4 cebolletas cortadas en rodajas
1 pepino, pelado y cortado en
trozos de 2,5 cm

3 tomates cortados en gajos
3 cucharaditas de menta fresca
picada
sal y pimienta

1 Sazone la carne con sal
y pimienta. Ásela bajo
el grill o en una sartén,
4 minutos por cada lado.
Déjela reposar 5 minutos y
después córtela en lonchas
finas contra la fibra.

2 Mientras tanto, ponga
a hervir agua salada en
una cazuela grande. Añada
1 cucharada del aceite de
oliva y las espirales, y cueza
la pasta hasta que esté *al
dente*. Escúrrala, refrésquela
con agua fría y escúrrala de
nuevo. Mezcle las espirales
con el resto del aceite.

3 En un cazo, caliente el
zumo de lima, la salsa
de pescado y la miel a fuego
medio, durante 2 minutos.

4 Añada la cebolleta, el
pepino, el tomate y la
menta, y a continuación
la carne. Mezcle bien todos
los ingredientes. Añada sal
a su gusto.

5 Pase las espirales a una
fuente de servir grande
caliente, y ponga encima la
mezcla de carne y verduras.
Sirva la ensalada caliente o
deje que se enfríe del todo.

SUGERENCIA

La salsa de pescado, nam
pla *en tailandés, se elabora
con anchoas saladas y tiene
un sabor muy fuerte:
utilícela con moderación.
La encontrará en algunos
supermercados y en tiendas
de alimentación asiáticas.*

Cannolicchi con remolacha

Para 4 personas

INGREDIENTES

300 g de pistones estriados

5 cucharadas de aceite de oliva

2 dientes de ajo picados

1 lata de 400 g de tomate triturado

400 g de remolacha cocida, cortada en dados

2 cucharadas de hojas de albahaca fresca picada

1 cucharadita de semillas de mostaza

sal y pimienta negra

PARA SERVIR

hojas de ensalada verde variadas, aliñadas con aceite de oliva

4 tomates jugosos, cortados en rodajas

1 Ponga a hervir agua ligeramente salada en una cazuela grande. Añada 1 cucharada de aceite de oliva y la pasta, y cuézala durante unos 10 minutos, hasta que esté al dente. Escúrrala y resérvela.

2 Caliente el resto del aceite en una cazuela grande y fría el ajo 3 minutos. Añada el tomate triturado y déjelo hervir 10 minutos.

3 Retire la cazuela del fuego y agregue la zanahoria, la albahaca, las

semillas de mostaza y la pasta. Salpimente al gusto.

4 Sírvalo sobre un lecho de hojas de ensalada y rodajas de tomate aliñadas con aceite de oliva.

SUGERENCIA

Las semillas de mostaza pueden ser de 3 especies diferentes, negras, pardas o blancas. Las semillas negras y las pardas tienen un sabor más intenso que las blancas.

SUGERENCIA

Para cocer la remolacha cruda, recorte las hojas hasta unos 5 cm por encima del tubérculo y compruebe que la piel no esté rota. Hiérvalas en agua con un poco de sal unos 30-40 minutos, hasta que estén tiernas. Enfríelas y frótelas para retirar la piel.

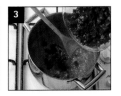

Postres

Si cuando piensa en pasta raramente
se le ocurre asociarla con un postre, se sorprenderá
de los maravillosos caprichos dulces de este capítulo.
¿Quién puede resistirse a unos nidos de miel
y nueces, una suntuosa combinación de pistachos,
miel y crujiente pasta de cabello de ángel?
Las espirales con frambuesas son un placer para
la vista además de para el paladar; el pudín
alemán de fideos es un postre que satisface el apetito
y está basado en una receta tradicional judía,
y los raviolis dulces al horno son todo un
descubrimiento para cualquier persona golosa.
Las recetas de este capítulo le convencerán de que
los postres hechos con pasta pueden ser algo mucho
más estimulante que el clásico pudín de macarrones
con leche, y tanto su familia como sus invitados
estarán encantados de concluir una comida con
unos platos tan imaginativos.

Raviolis dulces al horno

Para 4 personas

INGREDIENTES

PASTA:
425 g de harina
140 g de mantequilla, y un
    poco más para engrasar
140 g de azúcar lustre
4 huevos
25 g de levadura
125 ml de leche caliente

RELLENO:
175 g de puré de castañas
60 g de cacao en polvo
60 g de azúcar lustre
60 g de almendras picadas

60 g de galletas *amaretti*
    trituradas
175 g de mermelada de naranja

1 Para hacer la pasta dulce, tamice la harina en un cuenco, y después mézclela con el azúcar y 3 huevos.

2 En un bol pequeño, deslía la levadura con la leche caliente. Mézclelo con la pasta.

3 Amásela durante 20 minutos, cúbrala con un paño de cocina limpio y déjela reposar 1 hora hasta que fermente.

4 Mezcle en un cuenco el puré de castañas con el cacao en polvo, el azúcar, las almendras, las galletas y la mermelada de naranja.

5 Engrase una bandeja para el horno.

6 Enharine ligeramente una superficie de trabajo. Extienda la pasta con el rodillo, forme una lámina fina y, con un cortapastas, vaya recortando círculos de 5 cm.

7 Deposite 1 cucharada de relleno sobre cada redondel, y dóblelos por la mitad, presionando los bordes para sellarlos. Coloque los raviolis sobre la bandeja, dejando espacio entre ellos.

8 Bata el huevo restante y unte con él los raviolis para glasearlos. Cuézalos 20 minutos en el horno precalentado a 180 °C, hasta que estén dorados. Sírvalos calientes.

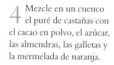

Pudín alemán de fideos

Para 4 personas

INGREDIENTES

60 g de mantequilla, y un poco
más para engrasar
175 g de fideos largos al huevo
115 g de queso cremoso
225 g de requesón
90 g de azúcar lustre

2 huevos ligeramente batidos
125 ml de crema agria
1 cucharadita de esencia
de vainilla
una pizca de canela en polvo
1 cucharadita de ralladura
de limón

25 g de almendras fileteadas
25 g de pan rallado
azúcar glasé, para espolvorear

1 Engrase una fuente
para el horno con
mantequilla.

2 Ponga a hervir agua
ligeramente salada en
una cazuela grande. Añada
los fideos y cuézalos hasta
que estén casi tiernos.
Escúrralos y resérvelos.

3 Bata el queso cremoso
con el requesón y el
azúcar lustre en un cuenco
grande. Añada el huevo
poco a poco, hasta que
se forme una pasta

homogénea. Agregue
la crema agria, la esencia
de vainilla, la canela y
la ralladura de limón,
y mézclelo todo con los
fideos. Pase la mezcla a la
fuente para el horno y alise
la superficie.

4 Derrita la mantequilla
en una sartén y fría
las almendras, sin dejar
de remover, 1-1½ minutos,
hasta que se doren un poco.
Retire la sartén del fuego
y mezcle las almendras
con el pan rallado.

5 Espolvoree la mezcla
de almendras y pan
rallado sobre el pudín y
cuézalo 35-40 minutos
en el horno precalentado
a 180 °C, hasta que esté
cuajado. Espolvoree con
un poco de azúcar glasé
y sírvalo inmediatamente.

VARIACIÓN

*Una variación de la
receta original sería añadir
algunas pasas y ralladura
de limón en el paso 3.*

Nidos de miel y nueces

Para 4 personas

INGREDIENTES

225 g de fideos de cabello de ángel	175 g de pistachos pelados y picados	150 ml de agua
115 g de mantequilla	115 g de azúcar	2 cucharaditas de zumo de limón
	115 g de miel líquida	sal
		yogur griego, para acompañar

1 Ponga a hervir agua ligeramente salada en una cazuela grande. Añada los fideos de cabello de ángel y cuézalos hasta que estén *al dente*. Escurra la pasta y vuelva a dejarla en la cazuela. Añada la mantequilla y remueva bien para recubrir los fideos. Deje que se enfríen.

2 Coloque 4 moldes para tartaletas sobre una fuente para el horno. Divida la pasta de cabello de ángel en 8 porciones y deposite 4 de ellas en los moldes. Ponga la mitad de los pistachos sobre la pasta y, a continuación, cubra con el resto de los fideos.

3 Cueza los nidos 4-5 minutos en el horno precalentado a 180 °C, hasta que se doren.

4 Mientras tanto, en un cazo, caliente el azúcar, la miel y el agua a fuego lento, removiendo, hasta que el azúcar se haya disuelto del todo. Déjelo 10 minutos a fuego suave, agregue el zumo de limón y cuézalo otros 5 minutos.

5 Con una espátula, pase con cuidado los nidos de cabello de ángel a una fuente de servir. Vierta por encima el almíbar de miel, espolvoree con pistachos y sírvalos fríos, acompañados con yogur griego.

SUGERENCIA

Los italianos llaman cabello de ángel a este tipo de pasta. Es larga, muy fina, y se suele vender en pequeñas madejas que ya tienen aspecto de nido.

Espirales con frambuesas

Para 4 personas

INGREDIENTES

175 g de espirales	1 cucharada de zumo de limón	3 cucharadas de licor de
700 g de frambuesas	4 cucharadas de almendras	frambuesa
2 cucharadas de azúcar lustre	fileteadas	sal

1 Ponga a hervir agua ligeramente salada en una cazuela grande. Añada las espirales y cuézalas hasta que estén *al dente*. Escurra la pasta y vuelva a ponerla en la cazuela. Déjela enfriar.

2 Con una cuchara, presione con firmeza 225 g de frambuesas a través de un colador colocado sobre un cuenco grande, para formar un puré liso.

3 Ponga el puré de frambuesas y el azúcar en un cazo, y caliéntelo a fuego lento 5 minutos, removiendo de vez en cuando. Agregue el zumo de limón, retírelo del fuego y déjelo reposar.

4 Mezcle bien el resto de las frambuesas con las espirales de la cazuela. Disponga la pasta en una fuente.

5 Esparza las almendras sobre una bandeja para el horno y tuéstelas bajo el grill hasta que estén doradas. Retírelas del horno y deje que se enfríen un poco.

6 Agregue el licor de frambuesa al puré reservado y bata bien hasta que esté suave. Vierta la salsa de frambuesa sobre la pasta, espolvoree con las almendras tostadas y sirva.

VARIACIÓN

Puede utilizar prácticamente cualquier tipo de baya para este postre, siempre que sea dulce y esté madura. Las fresas y las moras son muy adecuadas, aderezadas con su licor correspondiente. También podría preparar el plato con alguna otra baya, pero sin renunciar a la salsa de frambuesas.

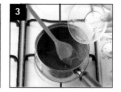

Índice

256